déjà Lu : 8/01

HIGGINS
MÈNE L'ENQUÊTE

DANS LA MÊME COLLECTION :

Bon de commande par correspondance
en fin de volume

J. B. LIVINGSTONE

HIGGINS
MÈNE L'ENQUÊTE

EDITIONS GERARD DE VILLIERS

© Éditions du Rocher, 1985
© Éditions Gérard de Villiers, 1989
pour la présente édition.

ISBN : 2-7386-0014-X

CHAPITRE PREMIER

Higgins caressa avec amour la robe rouge de « Princesse d'Afrique », une superbe rose de son invention. En cette fin d'automne pluvieuse, l'ex-inspecteur-chef de Scotland Yard se consacrait à l'un de ses plaisirs favoris, l'entretien de sa roseraie où il se livrait à de subtiles expériences nécessitant doigté et tendresse. Si Higgins avait quitté le Yard, où on lui annonçait pourtant la plus brillante des carrières, c'était pour s'adonner aux véritables joies de l'existence, la lecture des bons auteurs, la tonte de la pelouse, les longues promenades solitaires dans la forêt et la contemplation d'un feu de bois.

L'ex-inspecteur-chef habitait un ravissant cottage du Gloucestershire, édifié dans un village paisible portant le nom de *The Slaughterers*, « les assassins ». La demeure aux fenêtres du XVIIIᵉ siècle, au toit d'ardoise, aux murs de pierre blanche, au porche soutenu par deux colonnes, était le plus beau fleuron architectural de Slaughter-le-bas. L'environnaient des chênes centenaires, puissants et rassurants. Presque au pied de la maison coulait la petite rivière Eye qu'enjambait un pont de bois.

Les cheveux noirs, la moustache poivre et sel, les tempes grisonnantes. Higgins avait une apparence débonnaire qui en avait abusé plus d'un. Trapu, un peu pataud, l'ex-inspecteur-chef avait le don de se déplacer sans qu'on l'entende et possédait un œil malicieux qui avait fouillé l'âme de bien des criminels trop sûrs de leur impunité. Appartenant au signe du chat, selon l'astrologie orientale, Higgins bénéficiait des qualités du félin.

Il avait abandonné la vie moderne dont l'agitation ne lui convenait plus. Bien qu'il fût toujours considéré comme le meilleur « nez » du Yard, Higgins était sorti du monde du crime. Malheureusement, Scotland Yard faisait parfois appel à lui pour résoudre de délicates affaires où la plus totale discrétion était de rigueur. Encore fallait-il que Higgins se laissât convaincre d'abandonner la quiétude de sa demeure. Cette fois, c'était terminé. Quoiqu'il advînt, il n'abandonnerait pas « Princesse d'Afrique » dont la croissance nécessitait une vigilance de tous les instants.

Le véritable problème auquel Higgins se heurtait depuis des mois, c'était la durée de vie inégalée de la « Baccara de Meiland », une rose d'une incroyable robustesse dont personne n'avait encore réussi à percer le secret. Certes, nulle fleur n'était fragile pour qui savait l'aimer et l'éduquer. Mais « Princesse d'Afrique » devait faire beaucoup mieux qu'une simple rose. A son élégance, elle devait ajouter une endurance qui la rendrait digne des plus célèbres.

C'est pourquoi Higgins vaporisa au pied de la princesse un nuage de soufre qui repousserait l'oïdium, la maladie qui s'attaquait aux rosiers. Il n'aimait pas utiliser des méthodes aussi brutales, mais il n'avait pas le choix.

La veille, la princesse avait eu un léger signe de défaillance.

Un bruit de moteur tout à fait incongru troubla la sérénité de la campagne.

Doté d'une ouïe aiguisée, Higgins connaissait la voix de toutes les voitures des environs. Il savait donc que c'était une étrangère qui venait envahir le village

Sortant de sa roseraie pour identifier l'intruse qui s'arrêtait devant le portail blanc de la propriété, Higgins aperçut une vieille Bentley dont les toussotements avaient de quoi inquiéter le mécanicien le moins compétent. Higgins retint un soupir d'exaspération.

Cette Bentley-là, il ne la connaissait que trop bien. À l'heure où l'ex-inspecteur-chef s'apprêtait à étudier un savant mélange de pollens pour nourrir ses rosiers les plus délicats, il n'avait pas le moindre désir d'accorder une quelconque attention au propriétaire de cette voiture délabrée.

Le superintendant Scott Marlow descendit avec peine de sa Bentley. À deux reprises, sur la route menant au cottage de son collègue de Scotland Yard, il avait cru tomber en panne. Ces incidents n'avaient fait qu'accroître l'angoisse générée par la mission qu'il avait à accomplir. Connaissant le caractère plutôt difficile de Higgins, il ne savait trop comment entrer en matière.

Ce dernier vit progresser vers lui Scott Marlow, éternellement affublé d'un imperméable froissé Le superintendant n'avait pas le moindre goût pour s'habiller. Comment pouvait-il supporter un costume aussi mal taillé, une chemise au col trop large et des chaussures aussi mal cirées?

Higgins avait de l'estime pour Marlow, en dépit de ses goûts vestimentaires contre lesquels il avait vainement lutté. Le superintendant était un

policier consciencieux bien qu'il accordât trop
d'importance aux méthodes modernes.

Higgins accueillit son hôte sur le seuil de la
porte du domaine, conformément aux anciennes
coutumes.

Heureux de vous revoir, Superintendant.

– Moi de même, Higgins... Cet endroit est
charmant.

– Une vieille demeure de famille sans prétention... Le hasard a guidé vos pas, je présume?

– Pas exactement Le Yard m'a confié une
tâche... comment dire...

– Vous prendrez bien un verre? Les mauvaises
nouvelles attendront.

A l'entrée du salon se tenait Mary, la gouvernante qui, en vertu du pacte conclu avec Higgins,
régnait sur la moitié du cottage. Vénérant Dieu et
l'Angleterre, cette robuste personne de soixante-
dix ans avait traversé deux guerres mondiales sans
même souffrir d'un rhume. Contrairement a Higgins, elle croyait au progrès. Aussi avait-elle installé dans son domaine téléphone et télévision,
instruments dont l'ex-inspecteur-chef désapprouvait la présence.

Désireux d'éviter des conflits incessants, Higgins avait accordé a Mary un domaine réservé, lui
interdisant en contrepartie de pénétrer dans son
bureau et d'y classer ses papiers.

Qui êtes-vous? interrogea Mary, les poings
sur les hanches. Encore un de ces damnés inspecteurs, je parie! Tâchez de ne rien déranger. C'est
une maison calme ici.

Mary avait horreur de la police. Elle se régalait
des histoires croustillantes du *Sun* où la morale
était souvent mise a rude épreuve.

Scott Marlow bredouilla quelques formules de
politesse en passant devant elle. Higgins guida son

collègue jusqu'a un salon douillet qu'éclairaient les lueurs chaudes d'un feu de bois.

Asseyez-vous sur le canapé, recommanda Higgins. Ne parlez pas trop fort. Vous pourriez réveiller Trafalgar.

Trafalgar, un superbe siamois aux yeux bleus, dormait roulé en boule sur le meilleur fauteuil. Il ouvrit imperceptiblement l'œil et fit semblant de continuer à dormir.

Le bar etait aménagé dans la souche d'un vieux chêne, placée dans l'angle de la pièce entre deux grandes bibliothèques où, réunis pour l'éternité, se côtoyaient les bons auteurs. Higgins puisa une bouteille de Royal Salute, le plus fin des whiskies.

Scott Marlow vida rapidement un premier verre. Il en avait besoin pour se donner du courage.

Vous connaissez le Yard aussi bien que moi, Higgins... Votre réputation y demeure intacte, le grand patron vous considère comme le meilleur de ses « nez », même si vous avez pris quelque distance.

– Une distance définitive : la retraite.

– Bien sûr, Higgins, bien sûr... Mais personne ne comprend pourquoi elle fut anticipée à ce point.

– Raisons strictement personnelles.

– Moi, je vous comprends.. Mais vous devez admettre que certaines obligations...

– C'est le privilège de ma position, mon cher Marlow : ne plus avoir d'obligations.

– Aucun doute là-dessus. Mais tout de même...

Ne vous torturez pas davantage, recommanda Higgins, bienveillant. Quelle est la mission inavouable que vous a confiée le Yard?

Scott Marlow accepta un second verre de Royal Salute.

- Le Commissionner Chief Constable (1) organise une remise de médailles pour les inspecteurs les plus méritants... La semaine prochaine à Londres, et..

Et je figure sur la liste, n'est-ce pas?

Exactement, avoua Scott Marlow, baissant la tête

Comment ajouter que la reine en personne serait peut-être présente lors de la cérémonie? Scott Marlow vouait un culte à la plus belle et à la plus intelligente des souveraines. Son rêve était d'appartenir un jour au corps d'élite s'occupant de sa protection rapprochée Encore fallait-il mener une carrière en tout point impeccable. Ne pas réussir à convaincre Higgins de se laisser décorer constituerait une faute qui ne lui serait pas pardonnée.

- J'ai beaucoup d'estime pour vous, mon cher Marlow, mais vous savez bien que j'ai horreur des colifichets et des médailles. Elles détruisent l'harmonie d'un blazer. Mon tailleur, de chez Trouser's, n'accepterait plus ma clientèle si je lui imposais pareille infamie.

- Vous pourriez peut-être faire une exception, suggéra le superintendant, désespère.

- Souvenez-vous du poème de Harriet J.B. Harrenlittlewoodrof: *Quand le ruisseau commence à couler de côté, il risque de devenir fleuve.* N'en parlons plus... Vous restez dîner, je suppose?

Scott Marlow n'avait pas faim. Mais il tenterait sa chance jusqu'au bout, bien que personne n'ait pu se vanter d'avoir fait changer d'avis l'ex-inspecteur-chef

1) Le grand patron de Scotland Yard.

– J'ai préparé un petit festin pour l'anniversaire
de Trafalgar, annonça Higgins. Du bœuf grillé
avec une sauce à la cardamome, à la cannelle et
au gingembre. Une recette médiévale oubliée.
Trafalgar en raffole.

L'oreille droite du siamois s'était dressée. De
ses longues conversations avec Higgins devant
l'âtre, il avait retiré la pratique d'un vocabulaire
étendu, surtout dans le domaine culinaire. Au
sortir d'une douzaine d'heures de sommeil répara-
teur, la faim lui tenaillait l'estomac.

Le soleil d'automne nimbait de teintes fauves
les dernières feuilles des arbres. La forêt s'enfon-
çait peu à peu dans le mystère du couchant.
Comme chaque soir, le pont sur la rivière exprimait quelques gémissements, sans doute dus au
passage des premières ombres du crépuscule.

– Offrez-vous le luxe d'une promenade dans la
roseraie, proposa Higgins, pendant que je prépare
la viande.

Une demi-heure plus tard, Scott Marlow n'était
pas revenu. Higgins, après avoir servi Trafalgar,
sortit de son domaine. La roseraie était vide. Pris
d'une inspiration subite, il se dirigea vers la
cuisine de Mary.

Scott Marlow était là, attablé devant un râble
de lapin à la moutarde et un pudding à la graisse
de bœuf, assorti de tartines de lard et de saindoux.
Une odeur puissante montant d'un chaudron de
cuivre où la gouvernante, mélangeant plusieurs
sortes de malt et du houblon, préparait sa bière
personnelle. Mary se dressa devant l'ex-inspecteur-chef.

– Vous laissez mourir de faim vos invités,
déclara-t-elle. C'est une honte. Même si c'est un
policier, il a le droit de manger. Je me demande

parfois si vous n'avez pas une pierre à la place du cœur. Il est beau, votre sens de la justice!

Laissant Mary débiter un discours de plus en plus agressif, Higgins préféra battre en retraite. Scott Marlow lui adressa un sourire gêné.

Puisque le superintendant avait préféré la cuisine grasse et indigeste de Mary a la sienne, Higgins l'abandonna a son sort. Revêtant un imperméable, il décida de ne rien changer a ses habitudes et de s'octroyer sa promenade quotidienne a la nuit naissante.

Franchissant le pont, il s'enfonça dans la forêt, marchant sur le premier tapis de feuilles mortes qui étouffait les bruits. L'air était chargé d'humidité. Un vent léger faisait gémir les branches hautes des chênes et des hêtres. Les arbres avaient déjà oublié l'été, s'endormant dans la douceur humide de l'automne. Les plus vieux d'entre eux se souvenaient des chasses au sanglier, du passage d'équipages rutilants, des cavalcades des chasseurs ou des rites accomplis par les magiciens qui venaient chercher le message des esprits au cœur des rares clairières.

Higgins connaissait tous les chemins de cette forêt épaisse où personne n'osait plus s'aventurer. Son adolescence, en Orient, lui avait permis de maîtriser la peur, de l'annihiler. Il avait acquis une familiarité avec les hôtes invisibles qui peuplaient ces lieux où l'homme n'avait pas sa place.

En s'approchant d'un des plus hauts chênes, que les bûcherons d'antan avaient surnommé « le Juge éternel », Higgins crut voir dans la pénombre un étrange spectacle.

Il s'arrêta, interloqué. Ce n'étaient tout de même pas les contrariétés de la soirée qui pouvaient troubler sa vue a ce point.

Il avança a petits pas, s'approchant du géant aux branches puissantes.

L'ex-inspecteur-chef n'etait pas victime d'une hallucination.

A l'une d'elles était bien accrochee une corde au bout de laquelle se balançait tres lentement un pendu.

CHAPITRE II

Higgins, la première emotion passée, examina le pendu. La lune etait haute dans le ciel. Sa lumière bleutee rendait plus sinistre encore le cadavre du malheureux. Un instant, l'ex-inspecteur-chef avait eu l'intention de continuer sa promenade et d'oublier sa vision. Mais c'eût été une lâcheté, pis une ignominie. Comment un inspecteur du Yard, même un ex, aurait-il pu abandonner cet homme à son sort? Comment aurait-il pu renoncer à comprendre les causes de son décès?

Restait à souhaiter qu'il fût le résultat d'un suicide et non d'un crime.

Le pendu était vêtu d'un costume sombre. De taille moyenne, il avait un menton proéminent qui lui dévorait le visage. Les yeux ouverts, il regardait le neant avec étonnement. Son expression était presque naïve, comme si la mort l'avait eu par surprise.

De la pochette depassait un bouquet de bruyère sechee. Higgins aurait aimé examiner le cadavre mais il fallait d'abord le dépendre. Le Yard devait donc intervenir de maniere officielle, en presence de Scott Marlow. Au pied du chêne, Higgins decouvrit un objet des plus étranges : une chaise,

sans doute celle sur laquelle l'homme etait monté
pour se pendre, avant de la repousser d'un coup
de pied, mais une chaise à nulle autre semblable
Ses trois pieds torsadés etaient tailles a la perfection. Son dossier etait forme de deux énormes
cornes pointues, le long desquelles grimpaient des
diables à la queue fourchue. L'ensemble avait une
allure profondément malsaine.

Higgins n'eut pas besoin d'une longue reflexion
pour comprendre que sa quiétude serait grave-
ment troublée dans les heures qui allaient suivre.
Il se promit de résoudre au plus tôt l'énigme posée
par le pendu.

Scott Marlow terminait sa troisième portion de
pudding lorsque Higgins frappa à la porte de la
cuisine de Mary. Celle-ci ouvrit à contrecœur.

J'ai besoin de vous, mon cher Marlow.
Auriez-vous l'obligeance de me suivre?

Pour quelle raison? demanda Mary, soup-
çonneuse. Notre hôte n'a pas fini de dîner et il n'a
pas goûte ma bière.

Une affaire urgente qui risque de compro-
mettre notre tranquillite a tous.

Le ton de l'ex-inspecteur-chef était suffisamment grave pour que Mary y perçoive un reel
danger. Elle permit donc a Marlow de se lever et
d'accompagner Higgins.

Pardonnez-moi, dit le superintendant interlo-
que : vous avez... besoin de moi?

Ce sont mes paroles, admit Higgins. Mettez
votre imperméable. mon cher Marlow. La nuit est
fraiche. Nous allons nous promener en forêt.

- A cette heure-ci? Mais... pourquoi?

— Pour décrocher un pendu, répondit Higgins avec calme.

*

Il était un peu plus de vingt heures trente lorsque l'ex-inspecteur-chef et le superintendant allongèrent le cadavre sur un matelas de feuilles mortes.

— Connaissez-vous cet homme, Higgins?

— Je ne l'ai jamais vu.

Dans la poche droite du mort, une bible reliée en cuir dans lequel étaient gravées les initiales R.W. Dans la poche gauche, une lame du jeu de tarot représentait précisément un pendu.

— Avez-vous remarqué les bottes? demanda Higgins.

— Elles me paraissent des plus banales.

— Je vous accorde qu'elles ne sont pas l'œuvre d'un grand bottier, mais elles possèdent une particularité remarquable... Examinez-les de près.

A la lueur d'une lampe de poche, Scott Marlow s'aperçut qu'aucune trace de boue ne maculait les chaussures du défunt.

— Elles sont parfaitement cirées, observa-t-il.

— Souvenez-vous du manuel de Masters, mon cher Marlow. Le secret d'un cadavre se mesure à la propreté de ses chaussures. Celles-ci nous posent un difficile problème.

Higgins, a l'aide d'un crayon Staedler Tradition B finement taillé, prit des notes sur un carnet noir. Tout au long de sa carrière, il n'avait utilisé aucun autre instrument d'investigation.

— Pas si difficile que cela, objecta Marlow. Le mort a ciré ses bottes avant de se pendre.

Higgins se tâta le menton :

— C'est une hypothèse que l'on ne peut écarter

d'emblée... Mais il se serait servi d'un linge ou d'un mouchoir. Rien de tel dans ses poches.

Il peut les avoir frottées avec la manche de sa veste..

« Étrange idée » pensa Higgins Comment un individu éduqué avec de vraies valeurs aurait-il pu se comporter de la sorte?

Soyons précis, exigea l'ex-inspecteur-chef. Ces bottes ne sont pas simplement frottées mais cirées. Où se trouve le cirage?

Le mort l'a peut-être jeté aux alentours... Il faudra procéder à une inspection du terrain. Ce type, de toute manière, ne me paraît pas très normal. Pourquoi avait-il sur lui cette carte avec une figure de pendu, sinon pour annoncer la manière dont il voulait se suicider? La bible, c'est pour remettre son âme à Dieu Le bouquet de bruyère, sans doute un souvenir bucolique . Et cette chaise? Avez-vous déjà contemplé quelque chose d'aussi horrible? Je me demande si ce désespéré-là n'était pas un suppôt de Satan.

Et si ce n'était pas le mort qui avait ciré lui-même ses bottes?

Scott Marlow, qui n'aimait pas les complications, fronça les sourcils.

Que sous-entendez-vous, Higgins? Songeriez-vous à un crime?

Le cadavre du suicide a peut-être été déplacé.. A moins qu'il ne s'agisse pas d'un suicide, en effet

Le superintendant grommela

Nous nous égarons, Higgins Je suis persuadé que nous sommes en présence d'un suicide. Un suicide un peu bizarre, je vous le concède, mais rien de plus Il reste à identifier cet homme. Grâce à la bible, nous connaissons déjà les initiales de son prénom et de son nom : R W.

Higgins, feuilletant le livre saint, nota qu'une de ses pages était légèrement cornée. « Sans pitié, disait le texte, le Seigneur a détruit toutes les demeures de l'injuste, il a jeté à terre, il a maudit le royaume et les puissants ». L'ex-inspecteur-chef, s'agenouillant malgré son arthrite, ouvrit le col de chemise du défunt.

Encore une certitude qui vole en éclats, constata-t-il en dévoilant la médaille que le défunt portait au cou. Notre homme s'appelait Jason Laxter et il habitait Evillodge.

– Hmmm... Connaissez-vous cet endroit?

Higgins fouilla dans sa mémoire.

– Je crois que c'est le nom d'un domaine près du village de Druxham, à quelques kilomètres d'ici.

– De plus en plus bizarre, estima Marlow. Alertons la police locale.

Dans l'heure qui suivit, l'identité judiciaire fit son travail. Puis le cadavre fut acheminé jusqu'au laboratoire du Yard pour examen et autopsie. Il ne restait plus à Higgins et à Marlow qu'à se rendre à Evillodge pour y contacter d'éventuels membres de la famille du défunt et leur annoncer la triste nouvelle. Il était presque vingt-deux heures trente lorsque la Bentley du superintendant passa devant la pancarte indiquant « Druxham ».

Le village n'avait qu'une rue bordée d'une dizaine de maisons. Elle s'achevait par une voie sans issue dont l'extrémité était occupée par une chapelle. Sur la gauche partait un sentier boueux conduisant à une vieille ferme.

Pas âme qui vive.

La pluie tombait, drue, noyant le paysage dans

la grisaille. Scott Marlow contint un frisson et gara sa voiture devant le porche de la chapelle. Au moment où Higgins descendait de la Bentley, il aperçut une forme qui tâchait de se cacher derrière l'angle du mur.

Pas un bruit, murmura l'ex-inspecteur-chef. On nous epie.

Higgins. qui se déplaçait comme un chat, n'eut aucune peine à mettre la main au collet de l'espion. Ce dernier, affole, ne tenta pas de s'enfuir. Il se tassa sur lui-même.

Venez dans la lumière des phares, ordonna Higgins.

Apparut un garçon d'une vingtaine d'années aux cheveux roux.

— Qui... Qui êtes-vous?

— Scotland Yard. Et vous?

— Je m'appelle Mitchell Grant... Je suis l'assistant du pasteur et le sonneur de cloches.

— Pourquoi vous cachiez-vous?

— J'ai eu peur... Il ne vient jamais personne. ici. Alors...

Pourriez-vous nous indiquer l'emplacement d'Evillodge?

Le jeune homme tendit le bras vers le sentier.

— Prenez par la et allez tout droit jusqu'à la ferme... Il est arrive quelque chose a M. Laxter?

— Merci, mon garçon.

Les deux policiers s'engagerent sur l'etroit chemin. Mitchell Grant les observa quelques instants puis s'enfuit en courant.

La pluie redoublait d'intensité. La vaste ferme, signalée par des lumières fugaces. semblait s'eloigner.

Scott Marlow pesta contre la boue qui lui

collait aux semelles, ralentissant la marche. Il se résolut à suivre les traces de Higgins qui, grâce a son excellente vue, réussissait à éviter les profondes mares qui jalonnaient le parcours.

– Nous aurions pu venir demain matin. maugréa-t-il.

– Il y a probablement des gens qui s'inquiètent de la disparition de M. Laxter, dit Higgins.

· Quand on vit dans un endroit pareil. on doit avoir souvent envie de se suicider.

La remarque du superintendant frappa Higgins. Cette terre était inhospitalière. brumeuse. inquiétante. La boue y semblait plus lourde. plus épaisse qu'ailleurs. Il flottait dans l'air de la nuit un parfum de drame et de mystère, un relent de mort lente, implacable qui ne laissait aucune place a l'espoir et a la joie.

Un bêlement fit sursauter le superintendant. Sur sa gauche, il découvrit un abri grossier où s'entassaient des moutons. S'habituant à la vision nocturne, il distingua la minuscule colline qu'ils devaient désherber avec conscience, et, en contrebas, la rivière ou ils allaient boire.

Plus ils avançaient, plus le sentier était défoncé. comme s'il tentait d'écarter les visiteurs et de confiner dans sa solitude la vieille ferme entourée d'une barrière basse. brisée a plusieurs endroits.

Enfin. ils pénétrèrent dans la cour. un vaste cloaque bordé de haies anarchiques, abandonnées à elles-mêmes depuis longtemps. Il y avait plusieurs corps de bâtiments accolés les uns aux autres. Certains présentaient des murs branlants. d'autres des toitures effondrées. Un seul d'entre eux semblait en bon etat. Au-dessus de sa porte, une grosse lanterne dont la lueur avait guidé les policiers.

Quelque chose heurta la jambe de Scott Marlow qui recula précipitamment.

– Ce n'est qu'un cochon, observa Higgins, dévisageant avec sympathie l'animal lourdaud aux petits yeux, qui levait un regard étonné vers le superintendant.

Il n'est pas méchant, indiqua la voix grave d'un homme sortant d'une grange, mais il ne faut pas l'ennuyer.

Scotland Yard, annonça Scott Marlow, bougon. Qui êtes-vous?

– On m'appelle Geffrey le Mauvais. Je suis ouvrier agricole, au service de M. et Mme Laxter.

Geffrey le Mauvais était un homme trapu, à la musculature lourde. Il arborait une épaisse moustache noire et fumait une pipe sculptée en forme de tête de diable. Vêtu d'un pantalon de toile bleue et d'une veste de laine rapiécée, il portait une casquette noire qui masquait presque entièrement son front étroit. L'individu paraissait inébranlable.

On n'aime pas beaucoup les étrangers, par ici. Qu'est-ce que vous venez faire à Evillodge?

Le cochon poussa un grognement sinistre, comme s'il éprouvait une subite tristesse.

Ça, c'est pas bon signe, remarqua Geffrey le Mauvais. Sam est toujours au courant de tout avant tout le monde. Quand il pleure, c'est qu'une mauvaise nouvelle va nous tomber dessus. Faut dire qu'ici, on est habitués...

– Que voulez-vous dire? interrogea Higgins.

Bah... Evillodge est une terre maudite. Elle tue ses propriétaires depuis des siècles. Il y en a au moins dix qui sont morts de mort violente. La ferme qui se délabre, les champs inondés, les moutons qui ne grossissent pas, les haies qui ne poussent pas... Y a pas moyen de faire fortune dans ce domaine. On jurerait qu'il est maudit.

Pourquoi y travaillez-vous, en ce cas?

J'ai jamais vécu ailleurs... Comme mon père, mon grand-père, mon arrière grand-père et leurs ancêtres... Les Mauvais sont attachés à cette terre depuis qu'elle existe. Si elle survit, c'est grâce à nous. C'est comme ça, et on ne peut rien y changer.

Scott Marlow avait froid. Il changea de place, commençant à s'enfoncer dans la boue. Le cochon s'était assis sur son derrière, ne le quittant pas des yeux.

Si je comprends bien, avança Higgins, M. et Mme Laxter habitent ce domaine depuis peu de temps.

Ils l'ont acheté il y a un an. Ce sont des gens de la ville. L'endroit leur a plu... Lui, il rêvait d'avoir une ferme et de la remettre en état. Mon nouveau patron a un grand projet : réintroduire dans la région la pomme la plus traditionnelle d'Angleterre, la *Beauty of Bath*.

A-t-il une chance de réussir? demanda Higgins.

Scott Marlow s'impatientait. Pourquoi son collègue posait-il des questions inutiles au lieu de se rendre auprès de cette Mme Laxter pour lui annoncer le suicide de son mari?

Une chance... Qui pourrait le dire? Tout pourrit, sur cette terre. Il faudrait d'abord la vider de son eau, chasser les nuages, amener le soleil et faire un miracle. Après, peut-être, on aura de belles pommes.

Depuis combien de temps votre patron s'est-il absenté?

Geffrey le Mauvais tira une bouffée qui empuantit l'atmosphère. Sam, le cochon, préféra

partir. De son pas lent mais assuré. il s'éloigna
vers l'enclos au toit de paille qui lui servait
d'habitation.

– Aucune idée... Je ne note pas ses allées et
venues.

–- Nous sommes effectivement porteurs d'une
mauvaise nouvelle, déclara Higgins. M. Jason
Laxter est décédé.

Geffrey le Mauvais garda le silence un long
moment. Au grand étonnement de Scott Marlow.
il ne posa aucune question.

– M'étonne pas, marmonna-t-il enfin. les yeux
baissés. Encore un que le domaine a tué... Je vous
l'ai dit : faut pas toucher a Evillodge. Même pour
y faire pousser des pommiers... Si vous voulez
voir Mme Laxter. elle est dans le bâtiment central.
Frappez. Si elle ne dort pas, elle entendra. Moi.
vais me coucher. Demain à six heures. le travail
reprend.

Geffrey le Mauvais tira une dernière bouffée et,
sans plus s'occuper des deux policiers. disparut
dans les ténèbres de la grange d'ou il était sorti.

-- Curieux bonhomme. estima Scott Marlow. Il
en sait plus qu'il ne veut en dire.

Higgins opina du chef. Il aurait pu prolonger
cette conversation riche d'enseignements, mais
c'eût été bouleverser le cours normal de son
enquête. Une enquête qui n'existait peut-être que
dans son imagination. si le propriétaire d'Evillodge avait réellement décidé de mettre fin à ses
jours.

L'ex-inspecteur-chef frappa a la porte du bâtiment central. Il n'obtint aucune réponse et réitéra
son geste sans davantage de succès. Scott Marlow
décida de recourir a une méthode plus énergi-
que.

– Ouvrez! ordonna-t-il d'une voix puissante. Scotland Yard!

Il sembla aux deux hommes que quelqu'un se déplaçait dans la maison. Une faible lumiere illumina les fenêtres du premier étage. On descendit un escalier en faisant craquer des marches. La porte s'ouvrit.

Dans l'encadrement apparut une jeune femme blonde d'une exceptionnelle beauté, vêtue d'une robe longue en soie blanche.

CHAPITRE III

Je vous prie de m'excuser, messieurs, dit-elle d'une voix ravissante. Je terminais une natte. Seule, c'est effroyablement difficile! Il faut tirer les cheveux en arrière, faire une queue de cheval avec un elastique solide, epingler un boudin de velours sur l'élastique et tresser avec précision. Ai-je bien reussi?

La jeune femme virevolta sur elle-même, présentant aux policiers un remarquable décolleté dans le dos qui mettait en valeur ses epaules à l'arrondi sublime.

Etes-vous bien madame Laxter? demanda Scott Marlow, rugueux.

Elle leur fit de nouveau face

Mais oui... Je suis bien Bettina Laxter Vous n'allez pas rester dans cette maudite boue... Entrez, je vous prie.

« Notre tâche s'annonce des plus délicates », pensa Higgins, stupefait par tant de beaute cachée au cœur de cette ferme miserable

L'ex-inspecteur-chef n'était pas au bout de ses surprises. Utilisant au mieux les deux etages d'un vieux bâtiment dont les poutres en chêne défiaient le temps, les Laxter avaient crée un petit palais ou

le luxe régnait en maître. Meubles de haute époque, massifs et rassurants, tentures de velours vert
sombre, moquette de teinte tabac blond, aquarel-
les du XVIIIᵉ siècle egayant les murs aux pierres
apparentes, composaient un interieur chaleureux
d'une élégante richesse. Les deux hommes suivirent la jeune femme au premier étage, en majeure
partie occupé par un salon de style Regency.
Bettina Laxter prit place devant une coiffeuse
Louis XV en marquetterie incrustée de nacre.

– Excusez-moi... Je dois réajuster mon cato-
gan... Le nœud de velours a glissé.

Avec cette grâce que les jolies femmes possèdent de manière innée, Bettina Laxter s'assit en se
déhanchant, comme une amazone s'installant de
côté sur son cheval. Sa robe remonta vers les
genoux, découvrant deux longues jambes d'une
rare finesse. Comme si elle etait seule, la souve-
raine d'Evillodge prit un temps infini pour par-
faire sa coiffure.

Scott Marlow, enervé, tripotait les pans de son
impermeable. Higgins, très calme, admirait
l'émouvant spectacle, espérant que son collègue
ne romprait pas le charme par une déclaration
intempestive.

– Madame Laxter, dit le superintendant, nous
sommes désolés de vous importuner...

– C'est un plaisir de vous recevoir, messieurs.
La vie n'est pas tres gaie, à Evillodge. Les distractions y sont plutôt rares.

– Vous avez pourtant agence ici un petit paradis, remarqua Higgins.

Bettina Laxter orna son cou d'un collier de
perles à cinq rangées. Son geste fut, la encore,
d'une exceptionnelle lenteur.

Elle prenait soin d'elle-même avec un rare

doigté, comme pour savourer chaque seconde de sa jeunesse et de sa beauté.

A l'intérieur, Inspecteur... A l'exterieur, c'est bien différent. Ce domaine est une véritable horreur. On y patauge partout. Mais Jason en est tombe amoureux. Et comme j'aime Jason plus que tout au monde, j'ai dû trouver une solution. J'ai amenage cette maison avec ce que je possedais a Londres... Mes parents etaient antiquaires. Nous avions une vie mondaine, agréable. Nous recevions beaucoup. Un soir, j'ai vu Jason. Ce fut un coup de foudre réciproque. Nous nous sommes mariés un mois plus tard. Il venait d'obtenir un diplôme d'ingénieur agronome. Plusieurs grandes firmes voulaient l'engager. Mais il avait un idéal : prouver que ses théories rendraient florissant le domaine le plus pauvre, en apparence le moins rentable. Nous avons parcouru presque toute l'Angleterre. Quand il est arrivé ici, il a reçu une sorte d'illumination. Cet endroit correspondait exactement à ce qu'il souhaitait. Nous l'avons acquis pour une bouchee de pain. Il n'y avait même plus de propriétaire connu. Depuis un an, Jason travaille comme un fou. Il dort deux ou trois heures par nuit. Il répare, il bâtit, il laboure, il plante, il défriche... Un véritable Hercule. Quand vous le connaîtrez, vous serez surpris. C'est un homme d'allure plutôt frêle, mais il est doté d'une incroyable énergie. Je crois bien que c'est un genie dans son genre.

Scott Marlow jetait des regards inquiets à Higgins. Qui allait prendre l'initiative d'annoncer à Bettina Laxter la mort horrible de son mari?

M. Laxter avait-il mis au point une technique agricole revolutionnaire? s'enquit l'ex-inspecteur-chef qui prenait des notes de son ecriture fine et rapide.

– Il avait mille idées... Mais il lui fallait du temps, quatre ou cinq ans au moins pour démontrer qu'il ne se trompait pas. Il voulait d'abord réintroduire les cultures les plus anciennes, avec un minimum de personnel et un maximum de rentabilité. Cette année, nous vivions sur nos réserves... Je vous avoue que j'ai été obligée de vendre un meuble de grande valeur pour faire face à nos échéances. Mais... Pourquoi cette visite si tardive, messieurs? Est-ce un créancier qui vous envoie?

Higgins la regarda avec douceur.

– Savez-vous ou se trouve votre mari, madame Laxter?

– Jason? Il doit travailler à l'atelier, comme chaque soir...

– Depuis combien de temps s'est-il absenté?

– Ce matin, je crois... Je ne me souviens plus exactement... Mais pourquoi ces questions?

Higgins garda le silence. La gravité de son attitude suffit à alerter la jeune femme.

– Aurait-il eu... un accident? Répondez-moi, je vous en prie!

– C'est beaucoup plus grave qu'un accident, madame Laxter.

Le ton de l'ex-inspecteur-chef etait apaisant, confidentiel. Un instant, Bettina Laxter crut qu'elle vivait un mauvais rêve. Mais il y avait bien deux policiers du Yard devant elle. Deux policiers venus lui parler de son mari.

– Vous voulez dire... Que Jason est mort?

– Oui, madame Laxter.

La jeune femme eut une reaction inattendue. Se regardant a nouveau dans la glace de sa coiffeuse, elle vérifia sa natte puis mit du rouge sur ses lèvres, très lentement, comme une femme se preparant a sortir pour une soirée exceptionnelle.

- J'aimais profondément mon mari, Inspecteur.
Il respectait une valeur plus que tout : la dignité.
« Si je meurs avant toi, m'avait-il dit un jour, ne
pleure pas. Habille-toi et maquille-toi comme une
reine. Fais-moi honneur. »

La voix de la jeune femme vacilla. Les doigts de
sa main droite se crispèrent sur son bâton de
rouge à lèvres.

Comment est-il mort, Inspecteur? Je veux
savoir.

Il s'est pendu, répondit Scott Marlow.

- A quel endroit?

- Au lieu-dit « le Juge éternel », précisa Higgins. Le connaissez-vous?

- Non... Je n'en avais jamais entendu parler.

- Votre mari l'avait-il évoqué?

- Non... Je suis sûre que non.

- Etait-il dépressif ces derniers jours?

Pas du tout, affirma Bettina Laxter. Fatigué,
presque épuisé, mais fermement décidé à réussir.

- Avait-il parfois évoqué l'idée de suicide?
insista Higgins.

Le visage de la jeune femme se crispa.

Jamais. Jason aimait passionnément la vie. Il
détestait les lâches et les fuyards.

Consultait-il les tarots?

Bettina Laxter se tourna vers Higgins.

- Les tarots? Ce jeu de magiciens. Bien sûr que
non... Jason était un esprit scientifique. Il ne
prêtait attention à aucune superstition.

- Appréciait-il particulièrement les bruyères?

A ma connaissance, non... Que signifient ces
questions bizarres?

- Je désire comprendre les raisons de son acte,
indiqua Higgins. Certains indices pourraient nous
servir. C'est pourquoi je vous remercie de nous
aider avec tant de courage.

Bettina Laxter se mordit les lèvres.

– Votre mari avait-il un tempérament religieux?

– Je viens de vous répondre qu'il était ennemi de toute superstition.

– Que pourraient désigner les initiales R.W.?

La jeune femme hésita.

– Je ne vois pas... Pas l'un de nos proches en tout cas...

– Jason Laxter était-il un homme tâtillon, préoccupé de ses vêtements, soucieux d'être impeccable?

Un pauvre sourire orna les lèvres de la veuve.

– Il n'en avait pas le temps... Jason était toujours pressé, il courait d'une tâche à l'autre. Il lui arrivait de mettre des chaussettes de couleur différente ou une chemise à l'envers... La mode ne l'intéressait pas. Ici, il se voulait paysan parmi les paysans.

– Qui lui cirait ses bottes?

– Cirer ses bottes? Mais personne! Avec cette boue, cela n'aurait servi à rien... Il se contentait de les nettoyer.

– Je ne voudrais pas vous importuner, dit Higgins, paternel. Si ces questions vous épuisent, nous reviendrons plus tard.

– Non... Continuez. Quand vous partirez, je serai seule...

Scott Marlow avait la gorge serrée. Cette jolie femme ne méritait pas le sort cruel qui la frappait. Le superintendant laissa Higgins continuer l'indispensable interrogatoire.

– Connaîtriez-vous une chaise d'un style tout à fait particulier, madame Laxter? Trois pieds torsades, des cornes en guise de dossier et des diables pour décor.

La jeune femme pâlit.

-- Cette horreur. Oui, elle est ici. Jason...

Elle s'interrompit, comme effrayée par ce qu'elle allait dire. Le bon sourire de Higgins la réconforta.

Jason la détestait... Il avait décidé de la détruire, un jour ou l'autre.

- Où se trouve-t-elle?

-- Dans une remise, à côté de la grange.

-- Pourriez-vous nous y conduire?

-- Mais, pourquoi...

- C'est sur cette chaise qu'il est monté pour se pendre.

- Ce n'est pas possible...

- Vérifions sa disparition, voulez-vous?

- Passons par l'intérieur, recommanda-t-elle. Nous éviterons de nous salir les pieds.

Un couloir très dégradé, aux murs suintant l'humidité, menait du bâtiment central à une remise au toit percé. Là étaient entassés des outils, du matériel agricole rouillé des meubles pourrissant. A l'aide d'une lampe torche, Bettina Laxter éclaira un endroit précis.

Elle était là, Inspecteur... entre ce soc de charrue et un buffet rongé aux vers.

Quand l'avez-vous vue pour la dernière fois?

- Il y a quelques jours... Je ne comprends pas.

-- C'est pourtant simple, intervint Scott Marlow. Votre mari a quitté la ferme en emportant cette chaise sans que personne s'en aperçoive.

Avec une discrétion extrême, Bettina Laxter essuya une larme.

Retournons a la maison.. J'aimerais vous offrir du café ou un alcool.

Scott Marlow opta pour un bourbon. Higgins

pour un café. Bettina vida cul sec un verre de rhum.

Ses joues s empourprerent aussitôt.

— Je n'ai pas l'habitude. expliqua-t-elle... Je ne sais plus ce que je fais. Pardonnez-moi.

Le superintendant, s'il n'avait été membre de la police de sa Majesté. aurait laisse cette femme au désespoir qui l'envahissait et contre lequel nul ne pouvait lutter. Mais une question lui brûlait les lèvres.

— J'ai le sentiment que votre situation financiere n'était pas tres brillante. madame Laxter. Est-ce exact?

— Nous connaissions de graves difficultes. en effet. Ce domaine est un gouffre. Mais mon mari etait confiant.

— N'aurait-il pas pris conscience que son entreprise etait vouee a l'échec? Desespere. comprenant qu'il courait a la ruine... il aurait préfere se supprimer?

La jeune femme devint aussi immobile qu'une statue.

Puis elle eclata en sanglots.

A cet instant. precis les cloches de la chapelle se firent entendre : trois fois trois coups. Le glas pour la mort d'un homme.

Sur la colline des moutons. Higgins crut apercevoir une forme noire eclairee par la lumiere de la lune. L'ex-inspecteur-chef. s'approchant de la fenêtre. distingua un personnage de haute taille. apparemment vêtu d'une robe de moine marchant a grandes enjambees.

En quelques secondes. il disparut dans les tenebres.

CHAPITRE IV

Il n'était pas loin de minuit lorsque Higgins ouvrit la porte de la chambre d'ami.

- Voici votre logement. mon cher Marlow. J'espère qu'il vous plaira.

La chambre était spacieuse. confortable et gaie. Un vaste lit en chêne en occupait le centre. Un matelas suffisamment dur, des couvertures de laine fabriquées à l'ancienne et un oreiller rempli de duvet assuraient au dormeur un excellent sommeil. A droite du lit, une haute fenêtre à petits carreaux laissait pénétrer tout le jour une abondante lumière. Une robuste armoire en noyer permettait de ranger un grand nombre de vêtements. Devant la fenêtre, une table basse sur laquelle étaient disposés des livres. une carafe d'eau, un verre et des fleurs séchées. Les murs étaient recouverts d'un tissu vert d'eau. Au-dessus du lit, un tableau représentait une femme d'une grande beauté, nonchalamment étendue sur un lit.

Vous avez une salle d'eau attenante. indiqua Higgins... Vous devriez goûter ici un repos de qualité.

Votre hospitalité me comble. Higgins Mais je devrais rentrer à Londres...

L'ex-inspecteur-chef s'attendait à ce chantage.

· J'ai besoin de vous, mon cher Marlow, et vous avez besoin de moi. Tâchons d'élucider cette affaire au plus vite et je verrai ce que je peux faire pour votre remise de décorations.

L'espoir renaissait. Marlow était prêt à déployer toute la stratégie du Yard pour classer rapidement le dossier Laxter et ramener Higgins avec lui dans la capitale.

Le superintendant s'assit avec délicatesse sur une chaise paillée.

Sérieusement, Higgins... L'hypothèse du suicide ne vous satisfait-elle pas?

Je n'ai pas d'idée arrêtée. Lorsque tous les mystères entourant cette mort auront été élucidés, il sera temps de conclure.

Cette femme ne vous a-t-elle pas paru sincère?

· Par moments... Ce n'était qu'une première entrevue. L'émotion a pu lui faire oublier des détails importants.

Nous n'aurions peut-être pas dû la laisser seule...

Soyez sans crainte, mon cher Marlow. J'ai moi-même veillé à ce qu'elle absorbe un somnifère léger. Quand nous sommes partis, elle dormait. Nous la reverrons bientôt. Dès demain matin, nous continuons l'enquête. Si nous identifions le propriétaire des initiales R.W., nous aurons peut-être fait un grand pas. En attendant, dormez bien.

***
***

Contrairement à son habitude, Higgins dormit fort mal. Les yeux clos, il réfléchit toute la nuit. Il n'avait encore interrogé qu'une seule personne, mais, déjà, cette affaire lui paraissait peuplée de chausse-trappes. Sans exclure d'emblée la thèse du suicide, il penchait pour un crime. C'était d'ailleurs la première impression qu'il avait eprouvée en découvrant le cadavre. Mais un crime d'une espèce particulière, obéissant à une logique qu'il lui faudrait parvenir à déchiffrer.

Que ce malheureux Laxter ait connu une fin tragique était indéniable, que le destin l'ait frappé si près du cottage de Higgins était intolérable. Cette situation d'incertitude ne pouvait s'éterniser, au risque de troubler la sérénite de la région. L'ex-inspecteur-chef avait le devoir d'agir vite et de découvrir la vérité pour chasser doutes et médisances.

Higgins but deux cafés corsés pendant que Trafalgar, avec la distinction innée qui lui était propre, déchiquetait a belles dents une cuisse d'authentique poulet en sauce. Le repas du matin était son préféré, même s'il ne dédaignait pas la collation du midi et le souper du soir. Cette diététique nécessitait de longues périodes de sommeil sur un coussin ou dans un fauteuil, dans un endroit calme et bien chauffé. Ainsi la digestion pouvait-elle s'accomplir sans heurts.

Scott Marlow avait été happé par Mary qui lui avait préparé des œufs au bacon, des toasts recouverts de marmelade, du thé indien et des petits pois à la menthe. Ravi, le superintendant commençait à apprécier la vie campagnarde. Lui qui ne quittait presque jamais son bureau du Yard s'adaptait tant bien que mal à ces exigences nouvelles, sans oublier le but de sa mission.

Il avait hâte d'établir le suicide et de clore le

dossier. Ensuite Higgins serait a sa merci, étant redevable du service rendu. Au fond de lui, cependant, Scott Marlow admettait que la mort de Jason Laxter avait un caractère trop spectaculaire pour éviter que l'on se posât des questions troublantes. Les bottes cirées, notamment, demeuraient énigmatiques. Le superintendant traversait une période de doutes croissants lorsque Higgins pénétra dans la cuisine de Mary.

– Qu'est-ce que vous faites ici, a huit heures du matin? interrogea-t-elle, mécontente. Le dimanche, vous avez l'habitude de vous octroyer une interminable promenade dans les bois... Comme s'il y avait quelque chose a voir!

– Ce n'est pas un dimanche comme les autres, nota Higgins pacifique. Nous avons la joie d'avoir pour hôte un superintendant de Scotland Yard. Aussi aimerais-je l'associer a ce loisir.

Il n'a pas fini de manger, objecta Mary.

Scott Marlow se hâta d'achever ses petits pois d'un fort calibre et craquant sous la dent. Se glissant sur le côté de la table de cuisine, il salua la gouvernante et suivit Higgins.

Vous rentrez déjeuner, je suppose, dit-elle d'un ton rogue. Soyez ici a treize heures précises ou je ne réponds de rien.

Elle est tout à fait charmante, estima Scott Marlow, et elle cuisine a la perfection. Vous avez beaucoup de chance.

C'est possible, répondit Higgins.

Marchant d'un bon pas, il conduisit de nouveau Marlow jusqu'à l'endroit ou il avait découvert le cadavre de Jason Laxter. Avec soin, les deux policiers examinèrent les alentours du chêne dans un assez vaste perimetre. Ils ne trouvèrent rien.

Sous un ciel gris, ils traversèrent la foret et

gagnèrent le village de Druxham en empruntant de minuscules chemins de terre ou ils ne rencon trèrent âme qui vive.

Vous connaissez admirablement la région. observa Scott Marlow, essoufflé.

Pas cette partie-là. Mais j'ai pris le temps d'étudier les cartes en détail. cette nuit. Et je voulais surtout connaître le temps que mettait un bon marcheur pour couvrir la distance entre le chêne et le village. Nous voila fixes : un peu plus d'une heure.

Vous avez une idée derrière la tête. Higgins... Vous croyez donc que l'assassin est venu de Druxham. En ce cas. il portait le corps de Laxter et la chaise. Une heure ne lui aurait pas suffi! De plus. notre homme devait être un colosse.

Sans doute. répondit Higgins, énigmatique Pencheriez-vous pour la thèse de l'assassinat?

Je m'interroge encore. avoua Scott Marlow Mais je veux m'en tenir aux faits.

Excellente décision. approuva Higgins. Les faits. l'ordre et la méthode : voici les trois piliers sur lesquels repose l'art de l'enquêteur. Si nous y allions?

Les deux hommes entrèrent dans Druxham au moment ou une pluie glaciale s'abattait sur les toits de chaume des quelques maisons tassées les unes contre les autres. qui composaient le village. Leurs murs. couverts d'un crépi blanchâtre étaient percés de poutres blanches et noires avan-çant de manière surprenante dans l'unique rue un chemin de terre vite rendu boueux par les précipi-tations. L'une des maisons était si penchée qu'elle semblait prête a tomber.

Devant les modestes demeures. construites sur une sorte de talus qui leur évitait d'être inondées. des plaques d'herbe et des rosiers grimpants.

Deux fenêtres carrées. de faible surface, distribuaient une lumière parcimonieuse. Une autre. minuscule, s'ouvrait parfois au ras du toit.

Couronnant et fermant le village, la chapelle. Un édifice d'assez grande taille, à l'impressionnant clocher. Ses pierres grises lui donnaient une allure plutôt sinistre. Sur la droite partait le sentier menant au domaine d'Evillodge. Sur une éminence dominant le village, un manoir a deux étages. combinant la brique et la pierre, masqué en majeure partie par des ormes. Pour éviter d'être trempés. Higgins et Marlow poussèrent une petite barrière jaune qui donnait accès à la première maison du village. Sur la barrière, une plaque donnant le nom et les fonctions de sa propriétaire :

Agatha Herald – Institutrice et Infirmière
Higgins fit résonner la petite clochette.

Entrez, ordonna une voix décidée. C'est ouvert.

L'ex-inspecteur-chef s'exécuta. Suivi de Scott Marlow, il entra dans une petite maison remplie de petits objets. Tout était propre et impeccable. Sur des étagères, des livres rangés avec soin, sans un gramme de poussière sur les tranches. Des rideaux brodés à la perfection isolaient les trois pieces. une salle a manger. un salon et une chambre, du monde extérieur.

- Puis-je vous être utile? demanda Agatha Herald. Seriez-vous souffrant? Je ne vous ai jamais vu par ici... Apparemment, vous n'êtes pas du village...

Scott Marlow fut, dès l'abord, fasciné par cette femme robuste, bien en chair. campée avec assurance sur ses jambes. Agatha Herald avait le teint clair et l'œil vif. C'étaient des Anglaises de cette trempe-là qui avaient fait et entretenu la grandeur

de leur pays. C'etaient elles qui luttaient contre la
degradation des mœurs.

– Nous appartenons à Scotland Yard, indiqua
Higgins, et nous menons une enquête sur la
disparition tragique de M. Jason Laxter.

L'institutrice écarquilla les yeux.

– Que voulez-vous dire par disparition?

– Il est mort, madame Herald.

– Mademoiselle... Mademoiselle Herald, recti-
fia-t-elle sans passion, comme si elle pensait à
autre chose.

Ses yeux se gonflerent de larmes qu'elle parvint
a contenir.

C'est horrible... Horrible et injuste... Qui l'a
tue?

Scott Marlow sursauta.

– Comment ça qui l'a tue?

– Mais... parce qu'on l'a tue, je suppose, repondit Agatha Herald, retrouvant brusquement toute
son assurance. On l'a tue. C'est certain.

Nous l'avons retrouve pendu, revela le superintendant. A première vue, il s'agit d'un suicide
dont nous souhaitons elucider les motifs.

– C'est grotesque, estima l'institutrice-infirmiere. Jason Laxter aimait la vie. C'etait un
homme de progres. Il avait une mission a accomplir sur cette terre. Jamais il ne se serait donne la
mort. C'est un crime. Un abominable crime.

Vous connaissiez bien Jason Laxter pour le
decrire ainsi, avança le superintendant, intrigue.

Je l'ai soigne il y a une semaine. Nous avons
longuement parle! Il voulait reussir Il voulait
faire d'Evillodge un domaine prospere, reanimer
des cultures traditionnelles, faire revivre ce village
qui est en train de mourir. J'etais bien decidee a
l'y aider de toutes mes forces.

– De quoi souffrait-il? demanda Higgins qu

arpentait à pas lents la petite demeure, notant la
présence de sous-verres abritant des papillons, des
fleurs séchées, des dessins d'enfants. Agatha
Herald possédait aussi une curieuse collection de
casseroles miniatures en étain et des soldats de
plomb incarnant une parade des Horse Guards.

– D'une simple bosse... Il s'était cogné contre
un tracteur. Un peu de teinture-mere d'Arnica et
il a été vite guéri. Les vieux remèdes sont les plus
efficaces. Quand j'ai débuté comme infirmière,
j'avais une seringue, un réchaud pour faire bouillir l'eau et des morceaux de draps pour faire des
pansements. Ajoutez à ça une bonne connaissance
des plantes et vous êtes paré. Il n'y a jamais eu
de médecin, au village, et les gens se portent
plutôt mieux qu'ailleurs. Le problème, ce sont les
animaux. Quand il faut soigner les vaches et les
chevaux, pas question d'atermoyer. Par bonheur,
j'ai la force et la santé. Depuis vingt ans, pas un
seul drame à déplorer. Et aujourd'hui, vous m'ap-
prenez la mort de l'homme le plus formidable que
j'ai eu le bonheur de connaître...

Au déluge succéda une pluie fine qui dessinait
un rideau de perles. Des mésanges firent entendre
leur chant aigrelet. Les cloches de la chapelle
sonnèrent l'appel à l'office.

– ason Laxter etait-il aimé par les gens du
village? demanda Higgins.

– Ici, personne n'aime personne, repondit Agatha Herald. C'est comme ça. On se déteste, mais
on se supporte. A condition que chacun reste chez
soi et que personne ne cherche a changer ce qui
existe. Cela a été le tort de Jason Laxter... Il a
sous-estimé le danger. Evillodge n'est pas un
domaine comme le autres. La légende dit que sa
terre tue ceux qui croient en devenir propriétaires.

Jusqu'à aujourd'hui, j'ai cru que c'était une idiotie.

— Avez-vous entendu parler d'une chaise bizarre au dossier en forme de cornes du diable ?

— Tout le village en a entendu parler... Cette chaise appartient au domaine d'Evillodge depuis un temps immémorial. Personne ne connaît la date à laquelle elle a été fabriquée. Il paraît que c'est une véritable horreur. D'après la légende, les propriétaires d'Evillodge qui ont commis l'imprudence de s'asseoir dessus sont tous décédés de manière brutale.

— Savez-vous si Jason Laxter avait tenté l'expérience ?

— Je l'ignore, Inspecteur. Il détestait cet univers de superstitions. En tant qu'institutrice, je me suis battue contre elles... Mais ce n'est pas facile. Elles sont enracinées dans l'âme de ce village. Combien de siècles faudra-t-il pour les en extirper ?

— J'aimerais voir votre école, pria Higgins.

— Rien de plus simple. Suivez-moi.

Le trio sortit de la maison par une minuscule cuisine, aussi proprette et bien rangée que le reste de la demeure. Il traversa un jardin potager au centre duquel se trouvait un puits. Au bout du jardin, un hangar de briques couvert de tôles ondulées.

— Voici l'école de Druxham, déclara Agatha Herald avec une certaine fierté. Si ces messieurs veulent bien se donner la peine d'entrer.

Une salle unique. Des pupitres de fer à abattants. Le bureau de l'institutrice, un long meuble de bois blanc. Un tableau noir. Au mur, des photographies de la Tour de Londres, de Buckingham Palace et de la reine d'Angleterre. A gauche du tableau, les notes et les paroles d'une chanson que les écoliers devaient apprendre par cœur : « Oh, le beau soleil d'été ».

— Il n'y a pas beaucoup d'enfants, avoua l'institutrice. Pas un seul de Druxham même. Les villages des environs m'envoient une dizaine de garçons et de filles. J'ai du mal à les retenir dès qu'arrive le printemps. Les parents ont besoin d'eux pour travailler aux champs.

Mains croisées dans le dos, Higgins inspecta le modeste bâtiment comme s'il y cherchait un indice.

— Si j'interprète bien vos paroles, mademoiselle Herald, Druxham est en train de mourir.

— Je le crains, Inspecteur. Un seul homme pouvait empêcher le désastre : Jason Laxter. J'avais enfin rencontré l'allié que j'attendais depuis mon installation ici.

— Qui est garant de l'ordre établi, à Druxham ? demanda Higgins qui lisait les paroles de la chanson vantant l'éclat du soleil d'été et les jeux des enfants dans la rivière.

— Lord Graham Waking, le châtelain. Sa famille règne sur le village depuis le Haut Moyen Age. Pour lui, rien n'a changé depuis cette époque. Il est le suzerain, les autres sont ses sujets. Bien que lui et son épouse soient aujourd'hui des vieillards, ils continuent à donner des ordres et à veiller sur tout ce qui se passe à Druxham. J'ai eu de nombreux démêlés avec eux. L'existence d'une école leur apparaissait comme une monstruosité ! Eux seuls, en tant que châtelains, avaient capacité de lire et d'écrire. Les enfants de paysans n'avaient qu'une seule vertu à apprendre : l'obéissance.

— Que pensaient-ils de l'aventure tentée par Jason Laxter ?

– Je suppose qu'ils ne l'appréciaient guère. Mais je ne veux pas parler à leur place.

Scott Marlow observa les vêtements portés par l'institutrice. Un corsage blanc immaculé, une jupe noire et des escarpins impeccablement cirés. Pour franchir le jardin potager, elle avait pris soin d'emprunter un chemin dalle qui lui avait évité de les maculer de boue. Le superintendant ne posa pourtant aucune question sur ce point, certain que Higgins avait également note un detail qui pourrait se revéler important par la suite. C'etait encore bien insuffisant pour soupçonner l'infirmière-institutrice d'un acte criminel.

– Jason Laxter etait-il croyant? demanda Higgins.

– Je ne pense pas, répondit-elle. Il considérai la religion comme une superstition qui disparaîtrait bientôt.

- Etrange, en vérite! Il avait une bible dans l'une de ses poches.

Agatha Herald s'empara d'une règle de bois avec laquelle elle se tapota la paume de la main gauche, comme si elle commençait un cours.

Voila bien la preuve qu'il s'agit d'un assassinat. Cette bible, l'assassin l'a mise dans la poche de Jason Laxter apres l'avoir tue.

Elle porte des initiales : R.W... Vous evoqueraient-elles quelqu'un?

Agatha Herald eut un sourire triomphant.

- R.W.? Bien sùr! Il ne peut s'agir que du pasteur de Druxham, Roger Wood.

CHAPITRE V

Scott Marlow nota l'agressivité de l'intervention. L'institutrice-infirmière ne devait pas entretenir les meilleurs rapports avec le pasteur de Druxham.

- Roger Wood, continua-t-elle, laissant libre cours à sa fureur. C'est donc lui, l'assassin! Je vais l'étriper moi-même et pas plus tard que maintenant!

- Une personne de votre qualité, intervint Higgins, ne doit pas céder à une impulsion de cet ordre. S'il y a bien eu crime, ce qui reste a prouver, il ne faudra porter d'accusation qu'à bon escient.

La presence de cette bible ne vous suffit-elle pas? Roger Wood n'a-t-il pas signé son forfait?

Scott Marlow, qui ressentait la plus grande estime pour la vertu flamboyante d'Agatha Herald et subissait l'effet de son charme, lequel n'etait pas sans évoquer celui, tout aussi subtil, d'Elisabeth II, se sentit obligé d'intervenir.

- Un assassin fait rarement de tels cadeaux à la police, mademoiselle Herald. Quelqu'un d'autre a pu placer cette bible dans la poche de Jason

Laxter pour orienter les soupçons vers le pasteur.

L'argument du superintendant apaisa l'institutrice.

Vous avez raison... Pardonnez-moi. Je me suis emportée comme une enfant. Mais ce crime est si injuste, si abominable. Et ce pasteur est un obscurantiste borné !

- Vous ne me semblez pas avoir un goût extrême pour les choses de la religion, constata Higgins.

Agatha Herald serra les poings.

- Voilà vingt siècles que cette religion opprime le peuple et l'enferme dans des croyances absurdes qui l'empêchent d'évoluer... Au nom de cette religion, on pille, on tue, on condamne les gens a la bêtise et a l'ignorance... Prêtres et pasteurs, je les mets tous dans le même sac ! Je ne crois ni à Dieu ni au diable, mais c'est sûrement ce dernier qui les inspire !

La petite école de Druxham frémit sous le violent discours de son institutrice. Scott Marlow, comme tout Anglais digne de ce nom, n'était pas tout à fait certain que Dieu existât mais estimait prudent de le prier de temps a autre.

Dans les grandes circonstances, Dieu ne penchait-il pas toujours en faveur de l'Angleterre ? Agatha Herald s'exprimait sans nul doute avec quelque véhemence, mais ne pouvait-on l'excuser en raison des lourdes charges qui pesaient sur elle ?

Merci de votre précieuse collaboration, dit Higgins. Il ne nous reste plus qu'a rendre visite au pasteur.

*
**

Les mésanges donnaient un joyeux concert quand Higgins frappa à la porte du presbytère jouxtant la chapelle. Il n'obtint aucune réponse.

– Le pasteur est peut-être encore dans la chapelle. suggéra Scott Marlow, défavorablement impressionné par l'aspect rébarbatif de l'endroit.

Les deux policiers trouvèrent effectivement Roger Wood à l'intérieur du lieu saint qui atteignait un degré d'austérité presque absolu : un sol de dalles blanches et noires, des murs blancs et nus, des bancs de bois, un lutrin portant une bible. Le vent s'engouffrait par des trous percés dans des vitraux gris, sans aucun motif. Sur la plupart des pierres, une mousse malsaine.

Le pasteur astiquait le lutrin avec lenteur et méticulosité, tel un artisan prenant soin de son instrument de travail. Roger Wood était un homme d'une soixantaine d'années. grand. corpulent et chauve. Il pesait au moins quatre-vingt-dix kilos. Dès qu'il aperçut les deux hommes. il se dirigea vers eux et les salua avec jovialité.

– Soyez les bienvenus dans la maison du Seigneur! Je viens juste de terminer la célébration... Vous désiriez sans doute vous joindre à notre petite communauté de croyants?

– Pas exactement, répondit Higgins. J'ai le plaisir de vous présenter le superintendant Marlow, de Scotland Yard. Nous enquêtons sur la mort de Jason Laxter.

Le sang quitta le visage rougeaud du pasteur.

– Jason Laxter... Mon Dieu! Lui. mort... Comment est-ce arrivé?

– Il s'est pendu, révéla Higgins.

– Pendu? Quelle horreur! Comment peut-on

être désespéré à ce point? Un homme jeune, en pleine santé, habité par de grands projets... Je ne comprends pas.

— Pourquoi le glas a-t-il sonné hier soir pour le décès d'un homme? interrogea Higgins.

Il m'a surpris, tout comme vous. Je n'avais donné aucun ordre dans ce sens. C'est mon sonneur de cloches, le jeune Mitchell Grant, qui a pris l'initiative une fois de plus! Ce gamin est insupportable, mais il pratique si bien son art! C'est le meilleur carillonneur du comte. J'ai bien essayé de l'attraper pour le sermonner, mais il sait se cacher comme personne.

— Vous ne l'avez pas revu depuis?

— Non... Il a sonné pour la célébration et reste dans son clocher. J'attends qu'il descende. Mais alors... le petit Grant aurait été au courant de la mort de Jason Laxter? Qui la lui a apprise?

— Sans doute une intuition, répondit Higgins. Etiez-vous en bons termes avec le défunt?

— Ni bons ni mauvais... C'était un homme étrange, passionné, convaincu que le progrès était la clé du bonheur. Peut-être pourrions-nous nous asseoir?

Higgins et Marlow prirent place sur les bancs d'ordinaire occupés par les fidèles. Roger Wood leur fit face. Du pasteur se dégageait un courant de sympathie qui brisait aisément la glace avec ses interlocuteurs.

— Nous avons discuté deux ou trois fois, continua Roger Wood. Jason Laxter avait la certitude qu'il ferait revivre Evillodge et recréerait un domaine prospère. Il aimait cet endroit. Il y avait découvert sa vraie raison de vivre. Malheureusement, il n'avait pas beaucoup de religion. En tant que pasteur baptiste, je lui ai expliqué que tout depuis longtemps et à jamais, était écrit dans la

Bible. L'Ecriture revèle les volontes divines. Notre vie doit être consacrée à les comprendre. Jason Laxter ne l'admettait pas. Pour lui, Druxham était condamné à mort s'il ne tournait pas le dos au passé. Je l'ai mis en garde contre les réactions des habitants du village. Il s'en moquait.

Aviez-vous de l'estime pour lui? interrogea Higgins, prenant des notes sur son carnet noir.

Malgré nos divergences, oui. J'aimais sa forte personnalité. Un homme de caractere est toujours respectable, même s'il se trompe. Je ne désespérais pas de le ramener dans le bon chemin.

Higgins devint grave.

Sérieusement... Avait-il quelque chance de réussir?

Le pasteur prit un temps de reflexion.

Sérieusement... Impossible à dire. Inspecteur. Evillodge est une terre difficile, ingrate. La boue y règne depuis des siècles. Ses propriétaires successifs s'y sont casse les dents. Jason Laxter était ingénieur agronome, bien sûr, mais cela suffisait-il à rendre fertile cet enfer? Nous étions plutôt sceptiques au village. Mais il travaillait dur. Avec l'aide de Dieu, il aurait pu mener son entreprise à terme.

Scott Marlow resserra le col de son imperméable. Des courants d'air tourbillonnants rendaient cette chapelle glaciale.

Connaissiez-vous sa femme? demanda-t-il.

Non, Inspecteur, répondit Roger Wood. Je l'ai aperçue une seule fois. Une magnifique créature. Son mari parlait d'elle avec amour et respect. Ils semblaient former un couple très uni. Malheureusement, elle paraissait, elle aussi, fort eloignée de la religion. Encore une brebis égarée que j'ai le devoir de ramener au sein du troupeau.

– Quelqu'un affichait-il une haine déclarée à l'égard de M. Laxter? interrogea Scott Marlow, de plus en plus réfrigéré.

Honnêtement, non... Les gens du village sont froids et distants. Ils ont chacun leur mystère, qu'il n'est pas facile de percer à jour. Leurs sentiments sont profonds et durables. Un nouveau venu n'est pas aisément intégré. Il doit faire ses preuves, ne pas prendre les autres de haut... De ce côté-là Jason Laxter s'était comporté de manière remarquable. En quelques mois, nous avions oublié ses origines citadines. Il s'habillait comme les paysans, travaillait plus dur qu'eux. Il avait même réussi à rentrer dans les bonnes grâces de Geffrey le Mauvais qui avait accepté de travailler pour lui. Etant donné l'indépendance farouche de ce dernier, c'était un réel exploit.

Avait-il un goût pour le tarot? demanda Higgins.

Le pasteur fronça les sourcils.

Cette pratique occulte? Cela m'étonnerait de la part d'un homme comme lui...

Il avait pourtant affaire au diable, avec cette chaise au dossier en forme de cornes de Satan qui lui a probablement servi à se pendre.

Roger Wood se prit le menton entre le pouce et l'index.

Cette fameuse chaise... Elle existait donc. Tout le monde en parlait, mais j'étais sûr qu'elle appartenait à la légende.

Que dit cette légende?

Que tous les propriétaires d'Evillodge qui ont commis l'imprudence de s'asseoir sur ce siège sont décédés de mort violente. Ce n'est qu'une vieille superstition, mais la présence de cet objet dans le manoir des Laxter, là où ce malheureux a mis fin à ses jours...

- Jason Laxter ne s'est pas suicidé chez lui, rectifia Scott Marlow. Il a choisi la forêt. Au lieu-dit « le Juge éternel ».

- Personne ne va plus là-bas, s'étonna Roger Wood. C'est un endroit très isolé. Quand j'étais enfant, il y avait encore un sentier qui y menait. Il n'existe probablement plus aujourd'hui. Peut-être subsiste-t-il un accès du côté de *The Slaughterers*.

- Cela signifie donc, remarqua le superintendant, que Jason Laxter ignorait la manière de se rendre là où il s'est suicidé. Autrement dit, on l'a guidé jusqu'à cet endroit pour le tuer.

La mâchoire du pasteur se crispa.

· Vous envisageriez... un crime? Je n'ose y croire... Depuis que l'histoire de Druxham est consignée sur les registres de la chapelle, il ne s'en est jamais commis.

Vous possédez sans doute une bible personnelle, avança Higgins.

- J'en possédais une, en effet, a laquelle je tenais tout particulièrement. Elle m'avait été léguée par mon prédécesseur et j'y avais grave mes initiales. Depuis une semaine, elle a disparu... Comme je la range toujours au même endroit, sur ma table de nuit, je me demande si on ne me l'aurait pas volée. Mais ça n'aurait aucun sens...

- C'est pourtant ce qui a dû se produire, estima Scott Marlow. Nous avons retrouvé votre bible dans la poche du mort...

La joviale figure du pasteur prit une teinte cireuse.

- Qui... Qui a osé?

- Nous l'ignorons encore, avoua Higgins, mais nous aimerions beaucoup le savoir. Avez-vous une hypothèse a formuler sur l'identité de votre voleur?

Pas la moindre, Inspecteur. Le petit Grant adore se cacher mais il n'a jamais rien volé.

Qui se trouvait au village, vendredi?

- A vrai dire, pas grand monde... il y avait une kermesse et une vente de chevaux, à une dizaine de kilomètres d'ici. La plupart des habitants de Druxham y sont allés.

- Qui restait au village?

Eh bien... Lord Graham Waking et son épouse qui ne quittent jamais leur château. Thomas Lingham, le forgeron, qui déteste ce genre de fêtes. Agatha Herald l'institutrice qui avait les bœufs à soigner, Mitchell Grant qui jouait du carillon comme chaque jour... Je n'ai oublié personne.

Et vous-même? demanda Scott Marlow.

J'étais au village, bien entendu. Cette chapelle est mon domaine. Il y a tant à prier pour convertir les incroyants.

Geffrey le Mauvais?

Il ne sort pas du domaine de Evillodge. Je ne l'ai pas vu, mais ce n'est pas le genre d'homme à aller festoyer.

Et Bettina Laxter? interrogea Higgins.

Elle non plus ne sort guère de sa maison. Elle n'était pas à la fête. Sa présence aurait été remarquée.

- Où se trouve la demeure du forgeron?

Derrière celle d'Agatha Herald, en retrait de la rue principale. Elle est précédée d'une cour où il entasse de la ferraille et des roues de charrettes.

Quand vous aurez mis la main sur votre sonneur de cloches, exigea Higgins, dites-lui de se tenir à notre disposition. Cet après-midi, nous aimerions lui poser quelques questions.

Comptez sur moi, Inspecteur... Puis-je vous interroger à mon tour?

— Je vous en prie.

Le coroner du comte est un horrible bavard. En s'occupant de la mort de Jason Laxter, il va faire du tort a notre village, il...

Ne craignez rien dans ce domaine, le coupa Scott Marlow. Je lui retire l'affaire. C'est Scotland Yard qui traite directement ce dossier.

Higgins et Marlow, en raison de l'heure, reprirent le chemin de *The Slaughterers* à travers la forêt. Bien que le superintendant, peu habitue aux randonnées sylvestres, se plaignit de douleurs aux jambes, Higgins tint a effectuer le trajet a pied. Il accorda a Marlow un rythme très lent, correspondant à celui d'un marcheur portant un lourd fardeau.

Higgins s'arrêta sous le chêne tragique pour prendre des notes. Sa conviction etait faite : une heure suffisait pour aller de Druxham au « Juge eternel », en ayant le cadavre de Jason Laxter sur les epaules et la chaise malefique a la main. Le mort, d'apres sa faible corpulence, ne pesait pas bien lourd. Quant a la chaise, si horrible qu'elle fût, elle était légère. Un assassin determine à faire vite et a maquiller son crime en suicide disposait obligatoirement d'une energie tres particulière qui decuplait ses forces naturelles.

Votre entorse administrative, mon cher Marlow, tendrait a prouver que vous croyez de plus en plus a un assassinat.

Ce n'est pas un coroner qui peut convenablement etudier un dossier comme celui-là, grommela Marlow. Ce pasteur ne m'a pas plu. Il n'a pas l'air tres net. La presence de sa bible si precieuse est tout de même bien etonnante... De plus, c'est un athlète. Plus tout jeune, certes, mais certainement capable d'accomplir un exploit sportif.

Higgins déplora intérieurement que Scott Marlow cédât trop promptement à une impression première qui risquait de lui obturer l'esprit.

- Analyse pertinente, mon cher Marlow, mais attendons d'avoir pénétré davantage dans l'âme de ce village. Nous avons encore beaucoup à apprendre.

- Je ne dis pas le contraire, mais cette bible... Et ce pasteur.... C'est extrêmement louche. Et puis, après tout, c'est peut-être un suicide!

Je vous propose de hâter le pas. Mary n'est pas commode d'ordinaire, mais elle devient franchement insupportable lorsqu'on arrive en retard au déjeuner.

CHAPITRE VI

Il était quinze heures et dix minutes lorsque la Bentley de Marlow s'arrêta devant la maison de Thomas Lingham, le forgeron de Druxham.

Le superintendant se serait volontiers adonné aux plaisirs de la sieste après le plantureux déjeuner dispensé par Mary : concombres à la menthe, perdreau chasseur à la sauce d'anis et à la confiture de groseille, gratin de pommes de terre à l'ail, pudding au chocolat, le tout arrosé d'un Mouton-Cadet provenant de la cave privée de Higgins. Si ce dernier avait consommé avec la plus grande modération, Marlow avait fait honneur à la cuisinière qui n'avait pas caché son contentement.

Croyez-vous nécessaire d'aller importuner tous ces gens, Higgins ?

L'autopsie prouvera que Jason Laxter a été étranglé dans la soirée de vendredi, avança l'ex-inspecteur-chef. L'assassin a transporté le corps pendant la nuit et il l'a pendu à une branche du chêne. Cela restreint le nombre de suspects.

Scott Marlow se tourna vers son collègue.

- Mais, enfin, Higgins, nous nageons en pleine conjecture ?

Je vous le concède volontiers, mon cher Marlow. Le laboratoire du Yard nous confirmera ou non mon intuition. Cette enquête n'est-elle pas l'occasion pour vous de découvrir un charmant petit village?

Un doux soleil d'automne avait succédé à la pluie. Il dorait d'un jaune tendre les façades des maisons et les toits de chaume, ranimait le vert de l'herbe et rendait plus chaleureux le chant des mésanges dans l'air léger. Ici, rien n'avait changé depuis des siècles. Il y avait le ciel et la terre et, entre les deux, quelques humains dont l'existence dépendait du bon vouloir de la Nature.

La cour du forgeron était effectivement remplie de débris de ferrailles et de roues de charrettes dont certaines étaient de véritables chefs-d'œuvre. Des rosiers sauvages masquaient l'entrée de la demeure. A sa gauche, une table en bois sur laquelle trônait une pinte de bière. Un peu plus loin, l'entrée de la forge d'où provenaient de la fumée et des bruits métalliques.

– Monsieur Lingham! appela Scott Marlow.

Le forgeron poursuivit son activité. Le superintendant réitéra vainement son appel.

Higgins pénétra dans la forge, précédant son collègue. Il régnait là une chaleur insupportable. Le visage sans protection, un colosse torse nu, aux cheveux de jais, frappait sur une barre de fer qu'il venait de retirer d'un magma en fusion. Autour de lui, des fers à cheval, des plaques de cheminée, des chenêts. Au-dessus de la forge, une énorme poutre noircie par les flammes.

Le forgeron avait tous les poils de la poitrine roussis. Ses bras portaient de nombreuses traces de blessures.

· Voici donc ces messieurs du Yard, dit-il d'une voix très grave sans perdre des yeux son travail.

- Les nouvelles vont vite a Druxham, remarqua Higgins.

- Même pas, rétorqua le forgeron agressif. Personne d'autre qu'un inspecteur de Scotland Yard n'oserait s'aventurer dans ma forge. Elle est interdite aux profanes. De quoi m'accuse-t-on?

Bientôt d'injures à la police de Sa Majesté, intervint Scott Marlow, si vous nous refusez une entrevue dans des conditions normales.

Le colosse jeta au loin la barre de fer rougie au feu et posa sa tenaille à terre. Quand il se tourna vers les deux policiers, Higgins contint un mouvement de recul. Thomas Lingham était une sorte de géant peu ordinaire. Sa musculature était d'une puissance rarement atteinte. Sa seule vue suffisait à effrayer un adversaire éventuel.

Je n'ai pas beaucoup de temps a perdre, annonça le forgeron. Autant vous prévenir, je n'aime pas les policiers. Je les considère comme des parasites. Le village entier dit de moi que je suis sauvage et renfermé. C'est vrai. J'ajouterai que je ne suis pas sympathique et que je ne cherche pas à l'être. Je n'ai d'amitié que pour les flammes. Elles me lèchent le cuir, mais elles sont franches et joyeuses. Pas comme les hommes. Dans ma forge, il fait toujours beau. Ce qui se passe a l'extérieur ne m'intéresse pas. A présent, dites-moi ce que vous voulez ou décampez.

Higgins leva les yeux vers un devanteau de cheminée en fer forge.

Vous êtes un artisan merveilleux monsieur Lingham. J'ai rarement vu un tel coup de main.

On est forgeron de pere en fils, chez les Lingham... Les mains durent des siecles quand on les fait travailler. N'esperez pas m'attendrir avec vos compliments.

– J'espère pour la préservation de votre art, que vous avez un fils.

Le forgeron prit un air buté.

– Je suis célibataire et ma vie privée ne concerne que moi. Qu'est-ce que vous venez faire chez moi?

Enquêter sur la mort de Jason Laxter, répondit Higgins, soutenant le regard furieux du colosse.

Ce dernier, surpris, garda la bouche ouverte quelques secondes. Puis il éclata d'un rire tonitruant.

– Ça, c'est une sacrée nouvelle! La meilleure depuis longtemps! Venez, on va la fêter... Je vous invite à boire un verre.

Quoique scandalisé, Scott Marlow n'osa pas résister au colosse qui le poussa hors de la forge d'une bourrade à lui rompre les côtes.

Les trois hommes s'installèrent à la table de bois après que le forgeron eut apporté trois chopes de bière brune.

Racontez-moi ça... Comment ce sale bonhomme a-t-il quitté notre vieille terre?

– Apparemment, indiqua Higgins, il s'est pendu.

– Pourquoi, apparemment?

– Quelques indices laisseraient supposer que M. Laxter ne se serait pas suicidé de sa propre volonté.

– Un meurtre? Je regrette de ne pas en être l'auteur! J'aurais dû agir auparavant... L'important, remarquez, c'est que quelqu'un ait fait ce bon boulot.

Ecarlate, Scott Marlow posa sa chope.

– Mesurez vos propos, monsieur Lingham!

– Je dis ce que j'ai à dire, rétorqua le forgeron. Que ça vous plaise ou non, Jason Laxter était un

individu dangereux et nuisible. Il aurait fini par
detruire ce village si on l'avait laisse faire. Il
voulait tout changer. apporter le modernisme,
faire la révolution... Des types de ce genre-là, on
aime les voir se casser la figure le plus vite
possible.

- Avait-il tort a ce point? demanda Higgins qui
jugea la bière d'excellente qualité.

A Druxham, le temps n'existe pas. Celui qui
veut se hâter et tout changer est un suppôt du
diable.

A propos de diable. monsieur Lingham, il est
une certaine chaise qui en est abondamment pour-
vue...

Celle des châtelains d'Evillodge? Elle a disparu depuis longtemps. La légende dit qu'elle
avait été fabriquee par un menuisier qui avait
vendu son âme à Satan. C'est sûrement vrai. Les
légendes disent toujours la vérite.

Thomas Lingham vida sa chope d'une seule
lampée. Il s'en resservit une autre.

- Vous ne savez pas boire, vous autres les
policiers... Vous ne savez pas ce qu'est le feu de la
forge. Il vous desseche l'intérieur, il vous cuit la
peau. Avec lui, pas question de tricher. Il faut se
battre et gagner a chaque fois. Sinon, il vous
dévore. Vous avez vu mes blessures? Des erreurs
de ma part, des moments d'inattention... Ça ne
pardonne pas. Un jour, je serai trop vieux et trop
fatigué. Il me grillera vif. Et ce sera bien ainsi. Un
forgeron doit finir dans le feu. Pas comme ce
Jason Laxter qui n'a même pas eu le courage de
vivre. Pendu... quel minable! Il ne meritait pas
mieux.

Si vous continuez sur ce ton. intervint Scott
Marlow, je trouverai n'importe quel chef d'accu-

sation pour vous faire enfermer. Il existe un respect dû aux morts, dans ce pays.

A condition qu'ils soient respectables... Ce n'était pas le cas. Ce Laxter est venu troubler la paix de Druxham. Nous ne lui avions rien demandé. S'il lui est arrivé malheur, c'est entièrement de sa faute. Il ne comprenait rien à rien. Il a attiré la mort vers lui. Tout commence et finit par le feu... Pour lui, ce sera la fournaise de l'enfer.

La fureur du forgeron n'était pas feinte. Son ton montait au fur et à mesure qu'il parlait. Ses phrases se terminaient presque par un cri qui témoignait de sa vindicte.

- Vous ne nierez pas, dit Higgins avec calme, que le domaine d'Evillodge était à l'abandon. Jason Laxter a tenté de le rendre a nouveau fertile. Ce n'est pas la réintroduction dans les vergers de la plus ancienne pomme d'Angleterre qui pouvait mettre en péril l'existence de Druxham.

- Ne me prenez pas pour un imbécile... Depuis toujours, au village, c'est le forgeron qui détient les vrais pouvoirs. La connaissance du feu est la plus précieuse de toutes. Peu importaient les pommes, le blé ou les moutons... C'était l'état d'esprit de ce Jason Laxter qu'il fallait combattre à tout prix. Il ne savait rien et il croyait tout connaître. A lui seul, il voulait déplacer des montagnes. Evillodge... Comme si quelqu'un d'extérieur au village pouvait comprendre ce qu'est Evillodge! Un domaine maudit, une terre qui tue ses propriétaires depuis des siècles! Il n'y a que Geffrey le Mauvais qui puisse vivre là-bas. Evillodge... Il faut laisser cet endroit en paix, l'abandonner à lui-même. Eté comme hiver, c'est le royaume de la boue. Personne n'a la moindre chance de la remuer, de faire pousser un brin d'herbe dans la

glaise. Vouloir vaincre la Nature est une folie, et
Jason Laxter était un fou.

- Des rumeurs circulent sur l'état désastreux de
ses finances, rappela Higgins.

- Je n'écoute pas les rumeurs.

- Cela expliquerait son suicide, insista l'ex-
inspecteur-chef.

Il n'y a qu'une explication à la mort de Jason
Laxter, rugit le forgeron : le village l'a rejeté.
Druxham a vomi celui qui voulait le défigurer.

Je ne m'en contenterai pas, dit Higgins.

- Alors, vous échouerez dans votre enquête,
affirma Thomas Lingham. Elle ne vous mènera
nulle part. Ne soyez pas aussi têtu et borné que
Laxter. Si vous m'écoutez, vous respecterez la loi
qui règne ici.

- Il n'y a qu'une loi dans ce pays, protesta
Scott Marlow. Celle qu'incarne Sa Majesté et que
Scotland Yard est chargé de faire respecter. Drux-
ham n'y échappe pas.

C'est bien ce que je pensais, dit Thomas
Lingham après avoir vidé sa chope qu'il remplit
aussitôt. La police est la plus stupide des institu-
tions.

Higgins, sentant que Scott Marlow allait bon-
dir, prit les devants.

C'est souvent exact, monsieur Lingham,
lorsqu'elle ne fait pas correctement son travail.
Comptez sur nous pour ne pas sombrer dans la
facilité. Avez-vous rencontré souvent Jason Laxter?

- Dans la rue principale, à l'occasion . Je
n'avais pas la moindre envie de discuter avec
lui.

- Comment connaissiez-vous ses projets?

- Tout se sait au village. Tout se sait depuis
toujours.

– Je n'en doute pas, admit Higgins pensif. Et Mme Laxter, la connaissez-vous?

– Je ne sais même pas qui c'est.

– Etes-vous amateur de tarot, monsieur Lingham?

Etonné, le forgeron maintint sa chope en l'air pendant quelques instants.

– Qu'est-ce que c'est?

– Une serie de cartes symboliques qui permettent de chiffrer le destin.

– Connais pas.

– Me permettez-vous de vous poser une question très personnelle?

Le forgeron devisagea longuement l'ex-inspecteur-chef. Il le jugea beaucoup plus dangereux qu'un quelconque Hercule. Ses yeux inquisiteurs, toujours en éveil, fouillaient l'âme. Il valait mieux ne rien avoir à se reprocher en face de cet homme-là.

– Posez toujours...

– Etes-vous croyant, monsieur Lingham et possédez-vous une bible?

– Ma croyance, Inspecteur, c'est la forge. Je n'ai pas d'autre discours que celui du feu.

Higgins se leva.

– Merci pour votre biere. Elle était excellente.

Scott Marlow, affichant son mecontentement, imita son collègue.

– Ne quittez Druxham sous aucun pretexte, monsieur Lingham.

– Aucun danger, ricana le forgeron.

Higgins et Marlow se dirigerent a pas lents vers la chapelle. Le ciel se faisait a nouveau menaçant. De gros nuages noirs avaient obscurci le soleil

– Vous me semblez de mauvaise humeur, mon cher Marlow.

– Ce Lingham est insupportable. Nous aurions dû lui poser beaucoup d'autres questions.

– Nous le reverrons. L'individu n'est pas si facile à manier qu'il y paraît. Il faudra l'attaquer sous d'autres angles.

– Avec plaisir, Higgins.

Les deux policiers arrivèrent à la chapelle à l'instant où des gouttes de pluie commencèrent à tomber. La porte du sinistre édifice était entrouverte. Higgins glissa un œil et aperçut le pasteur, dos à l'entrée, astiquant le lutrin.

– La voie est libre, dit-il avec un curieux sourire.

Longeant le mur, il entraîna Marlow vers le clocher auquel donnait accès une petite porte en bois sur laquelle était fixé un écriteau avec la mention : « accès interdit ». S'aidant d'une poignée métallique, Higgins tenta d'ouvrir. En vain. Notant la présence d'une serrure rongée par la rouille, il utilisa un petit instrument en forme de cure-pipe qu'il introduisit avec soin dans l'orifice. Deux manipulations lui suffirent pour libérer le pêne.

– Higgins... c'est illégal!

– Pas du tout, mon cher Marlow. Cette serrure ne fonctionnait pas. Je l'ai réparée.

– Et l'interdiction...

L'ex-inspecteur-chef retourna l'écriteau.

– Elle n'a jamais existé. Si nous voulons rencontrer le carillonneur, il faut le débusquer dans son propre territoire. J'espère que vous n'avez pas le vertige...

– C'est-à-dire...

– Grimpons, mon cher Marlow. La quête de la vérité implique certains risques.

Un escalier en colimaçon, fort raide. conduisait jusqu'au clocher. Marche apres marche, défiant son arthrite du genou. Higgins grimpa jusqu'a une petite salle aménagée juste au-dessous de deux cloches d'ou pendaient quatre cordes epaisses. Tassé dans un recoin obscur, Mitchell Grant dormait a poings fermés.

Higgins s'approcha et lui tapa doucement sur l'epaule.

- Reveillez-vous, monsieur Grant.

Le feu follet aux cheveux roux se leva avec vivacité. comme un diable jaillissant d'une boite.

- Qu'est-ce que vous me voulez? Je n'ai rien fait de mal.

Le regard du jeune homme se fixa sur les cordes servant a sonner les cloches. Higgins sentit qu'il allait s'élancer. Il lui barra le chemin.

- Pas de bêtises, monsieur Grant. Je veux simplement vous poser quelques questions. Vous n'êtes accusé de rien.

Scott Marlow reprenait son souffle. Ces escalades précipitees ne lui convenaient guere.

Le carillonneur se pelotonna a nouveau dans son recoin obscur. Il s'y sentait protégé, a l'abri des agressions du monde exterieur.

- C'est mon domaine ici. mon domaine a moi... Il ne faut pas parler trop fort. ne pas déranger les cloches. Elles vivent les cloches, vous savez. elles respirent le jour et la nuit. Pour bien en jouer. la force est inutile. C'est la souplesse qui compte... Ajoutez-y de l'oreille et du doigte et vous obtiendrez les plus beaux sons du monde. Quand les cloches parlent, j'entends Dieu. Quand on penetre dans leur univers. on n'en ressort plus. Il n'existe plus rien d'autre qu'elles. On en perd le boire et le manger. Les eglises. c'est sûr. n'ont ete construites que pour abriter des cloches. Vous voulez les entendre?

– Plus tard, dit Higgins, paternel, avec grand plaisir. Pourquoi avez-vous sonné le glas pour un homme?

– A vous entendre, il n'était pas bien difficile de comprendre que Jason Laxter venait de mourir. Que lui est-il arrivé?

– Il s'est pendu, répondit Scott Marlow.

– Pendu... Quelle horreur! Il devait être déçu, tellement déçu... Il n'avait aucune chance de réussir. Ce village rejette les étrangers. Au moins, s'il avait aimé les cloches... Son âme aurait été en contact avec le ciel, il aurait connu une vraie joie. Il ne se serait pas donné la mort. C'est un crime contre Dieu... Je ne l'aimais pas, mais je ne lui souhaitais pas de finir ainsi. Un jour, il m'a aidé à en réparer une. Le forgeron avait refusé.

Mitchell Grant se leva, sans précipitation. Tendant le bras dans le vide, il agrippa l'une des cordes et la caressa amoureusement.

– Que reprochiez-vous à Jason Laxter? demanda Higgins.

– Il voulait amener des machines modernes, faire du bruit, défigurer le village... S'il avait sorti Evillodge du silence, il aurait fini par masquer le bruit des cloches. Vous vous rendez compte? Druxham est un beau village. Il ne faut rien changer, rien...

La voix de Mitchell Grant devint sombre, triste.

– Connaissez-vous le tarot des magiciens? interrogea Higgins.

– Qu'est-ce que c'est?

– Aimez-vous les fleurs séchées?

– Quand je ne suis pas à l'église pour aider M. le pasteur, répondit le jeune homme, je reste ici. avec mes cloches. Je connais mal les fleurs. Elles ne me parlent pas.

Le carillonneur tira legerement sur la corde, déclenchant un son cristallin. a peine perceptible.

– Entendez-vous? N'est-ce pas merveilleux! J'ai passé des mois a fabriquer cette note-là... Je me la joue. pour moi tout seul... Personne ne peut la percevoir. a l'extérieur. Bien sûr. j'aime faire résonner le grand carillon. en emplir la campagne. prouver aux autres villages que le clocher de Druxham est le plus vigoureux! Ces cloches battent comme des folles. elles s'entraînent les unes les autres! Mais je préfère quand même égrener leurs notes une a une. les modeler dans leur rondeur et leur mystère.

– Ou se trouve la bible du pasteur, d'ordinaire?

– Chez lui. bien sûr.

– L'emporte-t-il a la chapelle?

– Quand il en a besoin.

– Vous a-t-il parlé de sa disparition?

– Oui. en effet... Voila plusieurs jours qu'il la cherche. Il en est même contrarié. Il y tenait beaucoup. je crois. C'était un bel objet. avec ses initiales gravées dans le cuir.

– Y a-t-il des voleurs a Druxham? s'enquit Scott Marlow.

– Pas que je sache... Il m'est arrivé de chaparder des poires ou des framboises. comme tout le monde. mais je n'ai pas d'autre larcin a confesser!

Le superintendant nota que Mitchell Grant avait ôte ses bottes et marchait pieds nus. Celles-ci etaient fort usees et n'avaient pas vu de cirage depuis fort longtemps

– Etes-vous deja allé a Evillodge, monsieur Grant? demanda Higgins.

Le carillonneur lâcha la corde et se renfrogna.

– Jamais, répondit-il sèchement. Et je n'irai jamais. Evillodge me fait peur. Il y a le diable, là-bas.

Scott Marlow était passablement irrité par l'attitude du sonneur de cloches. Les mystiques et les illuminés posaient toujours de graves problèmes dans les affaires criminelles. Impossible de pénétrer dans leur systeme et d'obtenir d'eux des réponses claires. Leur interrogatoire, pénible. ne débouchait généralement sur rien. Celui-ci perdu dans sa folie musicale n'échapperait pas à la règle.

– Que pensez-vous de la chaise de Satan. propriété des maitres d'Evillodge?

– Je ne veux pas parler de ça, déclara Mitchell Grant, affole. Quand on évoque le diable. il vient.

– Avez-vous vu cette chaise? insista Higgins.

– Non... Non!

Le carillonneur se cacha la tête dans les genoux.

– N'ayez pas peur, le reconforta l'ex-inspecteur-chef. Cette chaise ne vous causera aucun tourment. Elle est entre les mains du Yard. Jason Laxter semble l'avoir utilisée pour se suicider Cela vous paraît-il normal?

– Je l'ignore. marmonna le jeune homme. je ne le connaissais pas assez.

– Soyez sincère, monsieur Grant Croyez-vous à un meurtre?

– Je ne sais pas... Je ne sais pas...

La voix du sonneur de cloches devenait pleurnicharde.

– Nous allons continuer à enquêter annonça Higgins. et nous nous reverrons. Prenez bien soin de vos protégées, monsieur Mitchell.

A peine Higgins et Marlow sortaient-ils du clocher que les cloches sonnèrent à toute volée.

CHAPITRE VII

— Ou allons-nous, Higgins?

— A la chapelle. Nous devons verifier quelque chose.

Les deux policiers trouverent un pasteur tres affaire qui, un chiffon a la main, nettoyait les bancs.

Pardonnez-moi de ne pas vous accueillir avec davantage d'egards, s'excusa-t-il, mais j'ai une celebration exceptionnelle en fin d'apres-midi... Tout le village a appris la mort tragique de Jason Laxter. On ne comprendrait pas que je demeure silencieux. Dieu doit intervenir. Il y aura du monde... Je dois avoir une chapelle impeccable pour faire honneur au Seigneur.

Desole de ne pouvoir vous aider deplora l'ex-inspecteur-chef. D'autres taches nous appellent... Auriez-vous la gentillesse de nous laisser consulter les archives du village?

— Bien entendu, Inspecteur!

Jovial, Roger Wood guida les policiers jusqu'a une petite piece presque entierement occupee par deux grandes armoires en noyer.

— Tout est ici, indiqua le pasteur, tendant le

bras droit pour attraper deux clés cachées sur le haut de l'armoire la plus volumineuse.

Il les donna à Higgins.

- Désirez-vous voir un dossier en particulier?

- Non. mentit l'ex-inspecteur-chef. J'aimerais faire un tour d'horizon pour mieux comprendre Druxham. Le passe éclaire souvent l'avenir.

- Comme vous avez raison! Les archives du monde ne sont-elles pas dans la Bible?

Sans doute. reconnut prudemment Higgins. Je me contenterai de Druxham pour le moment.

- Je vous laisse... Il y a encore des bancs à nettoyer.

Les portes des armoires grincèrent. dégageant un fin nuage de poussière. Personne n'avait consulté les archives depuis bien longtemps.

Des piles de vieux papiers. et même des parchemins. dormaient sur des étagères rongées aux vers et pliant sous le poids.

Quelle saleté. se plaignit Marlow. Si nous rangions ainsi les archives du Yard. nous n'arriverions pas à grand-chose.

Higgins. passant outre les dangers de l'exploration. commença sa recherche par le haut de la plus haute pile.

Il lui fallut écarter des listes de propriétaires de champs. des comptages de troupeaux. des inventaires de céréales. des plaintes pour déplacement de bornes. pour avoir enfin en main une liasse épaisse. fermée par une ficelle presque décomposée. Tracé à l'encre rouge sur la page de titre. un seul mot : *Evillodge*.

Avec lenteur. Higgins défit les deux nœuds qui subsistaient.

- Qu'espérez-vous trouver dans cette paperasse? demanda Scott Marlow.

- L'histoire du domaine. Partageons-nous le

travail. Vous prenez la moitié du dossier. Notez toutes les morts accidentelles des propriétaires.

La liste établie par les deux policiers se révéla impressionnante. Depuis la fin du Moyen Age, date à laquelle commençaient les chroniques, une douzaine de propriétaires avaient vu leurs jours se terminer d'une manière brutale : noyade, chute de cheval, glissade dans un précipice, mort dans un incendie avaient été le lot des malheureux qui avaient acquis le domaine. Evillodge était bien une terre assassine.

Impressionné, le superintendant formula néanmoins une objection.

- Il n'y a pas de suicide, dans cette litanie sinistre.

- Exact, mon cher Marlow. Ni suicide, ni crime... A moins que certains accidents, sinon la totalité, ne fussent maquillés en crime...

- Vous ne pensez tout de même pas... a un fantôme tueur!

- Tant qu'une enquête n'a pas abouti, il ne faut jurer de rien.

Le superintendant évita d'engager la discussion sur ce point. Ce qui l'irritait le plus chez Higgins était sa tendance a perdre parfois de vue la réalité concrète pour se perdre dans des théories fumeuses. Il valait mieux ne pas l'exalter davantage.

L'ex-inspecteur-chef ne découvrit aucun autre dossier digne d'intérêt. Il s'épousseta longuement et lissa sa moustache noire et blanche.

- Nous n'avons pas terminé nos visites, mon cher Marlow.

Sortant de la chapelle, les deux hommes prirent, sur leur gauche, le chemin montant vers le châ-

teau des Waking. Sa façade était presque masquée
par un épais rideau de pluie agrémenté d'une
nappe de brouillard de plus en plus dense. Correctement empierrée, la voie d'accès à la demeure
seigneuriale grimpait doucement et ne présentait
pas d'ornières dangereuses. Le château ne plaisait
pas à Higgins. Il manquait de style et de noblesse,
ressemblant davantage à une grosse demeure prétentieuse qu'à un manoir artistocratique. Les briques s'alliaient mal à la pierre. Les restaurateurs
avaient fait un mauvais travail, accentuant le
délabrement de l'édifice. Sans doute avait-il affi-
ché quelque élégance affectée une cinquante d'années auparavant, mais elle avait cédé la place à un
vieillissement que rien ne pouvait plus entraver.

Les deux policiers passèrent entre deux rangées
d'ormes qui, eux aussi, semblaient fatigués de
vivre. Sous leurs pas craquaient des feuilles mortes.

— Cette visite est-elle vraiment nécessaire?
demanda Marlow que cette promenade fatiguait.
Que pourraient nous apprendre de vieux châtelains qui ne sortent jamais de chez eux?

— Ils sont la mémoire du village, superintendant. Ne pas les consulter serait une erreur.

Higgins étant le plus têtu des hommes, Marlow
n'insista pas. Il espérait simplement que la plus
dure partie de la journée était terminée.

Jaillissant de derrière un arbre, un bouledogue
anglais, tous crocs dehors et aboyant avec force,
barra la route aux deux hommes.

— Il... Il est dangereux! estima le superintendant. Il pèse au moins cinquante kilos!

— Trente tout au plus, rectifia Higgins. Ne
bougez pas et regardez-le bien dans les yeux.

— Higgins! Vous allez vous faire dévorer!

— Le bouledogue anglais est un chien très

doux... Il exige simplement du respect et de la douceur.

L'ex-inspecteur-chef oublia d'ajouter que, grâce à ses mâchoires décalées, le bouledogue pouvait respirer à son aise sans avoir besoin de lâcher sa proie.

Le dos gonflé comme un chat en furie, le chien battait de la queue. Il regarda Higgins s'approcher. recula, aboya un peu moins fort. L'ex-inspecteur-chef lui sourit. Le bouledogue s'aplatit sur le sol. L'homme du Yard lui flatta le dessus de la tête et le caressa longuement. De sa truffe noire, le chien flaira Higgins. Satisfait de son inspection, il se remit debout sur ses pattes et détala a vive allure vers le château.

- Voici un excellent accueil, estima Higgins. Esperons que le reste sera a l'avenant.

Au sommet de l'escalier en marbre de qualité mediocre menant à l'entree principale se tenait un domestique âgé. vêtu d'un grand tablier brun. Sa chemise. d'une blancheur douteuse, etait egayée par une cravate rouge.

- Bonjour. mon ami. dit Higgins. Pourriez-vous annoncer Scotland Yard a Lord Waking?

Le domestique s'inclina, sans prononcer un seul mot et preceda les deux policiers a l'interieur de la maison. Les peintures etaient ecaillees. De nombreuses moulures du plafond, disparues, n'avaient pas ete remplacees. Plusieurs lattes du parquet etaient defoncees.

Traversant une vaste antichambre, le domestique conduisit Higgins et Marlow jusqu'a une porte decoree de rinceaux.

Il frappa doucement.

- Qu'est-ce que c'est? demanda une voix grave, un peu tremblante.

Scotland Yard. Lord Graham. Dois-je introduire ou éconduire?

Introduisez.

Le domestique s'exécuta. Higgins et Marlow découvrirent une chambre si chargée de meubles et de bibelots qu'il n'y avait plus de place pour circuler. Au fond. un lit a baldaquin surmonté d'un grand tableau représentant la rue principale de Druxham au siecle dernier. A droite. une fenêtre aux vitres obturées par des photos de famille. Aux murs. une cinquantaine de tableaux representant Lady Waking a divers âges. depuis sa petite enfance. Sur les commodes. une dizaine de bustes en plâtre egalement consacres à la maîtresse des lieux. Fauteuils. chaises. canapés achevaient d'encombrer l'espace.

Allongée sur le lit a baldaquin. une vieille dame de soixante-dix ans. d'une extrême maigreur. au visage ridé comme une vieille pomme. Assis dans un fauteuil et lui tenant la main. un vieillard de petite taille. ratatiné. au nez pointu.

Scotland Yard. grinça Lady Emily Waking, Scotland Yard... La police. c'est bien ça?

Le superintendant Marlow et moi-même sommes heureux de saluer vos seigneuries.

Le visage ride tourna sur le cou décharne et observa les deux policiers.

Ce garçon est plutôt poli. apprecia Lady Wakirg. C'est une qualité rare. Je crois que nous pouvons accepter de converser avec lui.

Comme tu voudras. Emily. approuva Lord Wakirg. indifférent. Quelle est la raison de votre visite. Inspecteur?

- La mort de Jason Laxter.

- Tiens donc... Il etait pourtant jeune.

- Il n'y a pas d'âge pour le suicide. Lord Waking.

– Un suicide! glapit Lady Waking. Il ne manquait plus que ça! Ce monsieur avait déjà causé beaucoup d'ennuis dans notre village... Il faut encore qu'il décède de façon scandaleuse. Cette fois-ci c'en est trop. Je ne regrette pas de ne jamais lui avoir adressé la parole.

– Il y a encore une justice, ajouta le Lord, les Waking sont inscrits au *Domesday Book* (1) depuis le Moyen Age. Jamais ils n'ont été importunés par un homme d'aussi basse extraction.

– En quoi vous a-t-il offensés? s'enquit Higgins.

– Dans cette maison, Monsieur, les domestiques n'ont ni le droit de fumer ni d'adresser la parole aux visiteurs avant d'en avoir reçu l'autorisation. Ce Laxter avait moins d'éducation qu'un domestique. Vouloir faire fructifier Evillodge! quelle impudence et quelle vanité... Cette terre est maudite depuis des générations. Nous-mêmes avons refusé d'en devenir acquéreurs. Ce n'était pas pour qu'un étranger vienne la voler.

– La voler? s'étonna Scott Marlow. Ne l'aurait-il pas achetée de manière légale?

Lord Graham Waking pivota légèrement sur lui-même et laissa tomber un regard dédaigneux sur le superintendant :

– On est toujours aussi mal instruit, dans la police... Il faut apprendre à déchiffrer les propos des gens de qualité. Un étranger est forcément un voleur. On ne s'installe pas à Druxham. On y naît et on y meurt.

Scott Marlow se serait volontiers abrité dans un trou de souris. Ce couple de vieillards le terrorisait. Il y avait tellement de morgue dans leur attitude que l'interlocuteur, s'il n'était pas inscrit

----

(1) Livre qui recense les terres des nobles d'authentique lignage

au *Domesday Book*, était réduit à presque rien. Higgins, quant à lui, se sentait parfaitement à l'aise. Mains croisées derrière le dos, il commença à circuler lentement dans la chambre, empruntant les rares passages accessibles. Il s'arrêta devant le buste de Lady Waking qu'il jugeait le plus réussi.

— Je reconnais là un excellent coup de ciseau, dit-il admiratif. Un disciple de l'école de Leicester, à première vue.

Le nez pointu de Lord Graham Waking se leva dans la direction de l'ex-inspecteur-chef.

— C'est exactement cela, s'étonna le vieux noble. Vous faites des études d'histoire de l'art, à Scotland Yard?

— Rien de ce qui est humain ne doit rester étranger à la police de Sa Majesté, répondit Higgins avec un bon sourire. Etiez-vous déjà au courant du décès de Jason Laxter?

— Bien sûr que oui, répondit la voix aigrelette de Lady Waking. Le pasteur est venu nous prévenir. Il était tout ému, le pauvre. Nous l'avons réconforté.

— Une chose me surprend, indiqua Lord Waking. Pourquoi Scotland Yard se déplace-t-il à propos du suicide d'un rien du tout?

— Parce que notre opinion sur la nature même de cette mort n'est pas encore définitivement arrêtée, expliqua Higgins. Peut-être s'agit-il d'un crime.

Un silence succéda à cette déclaration.

— Il n'y a jamais eu de crime à Druxham, affirma Lord Waking et il n'y en aura jamais tant que les Waking continueront à assurer la paix de ce village.

« En raison de l'âge avancé du couple Waking,

pensa Scott Marlow, cette fameuse quiétude ne devrait plus durer très longtemps. »

C'est fort probable. dit Higgins, s'attardant devant un tableau représentant la petite Emily Waking a cheval dans un champ très vert. Néanmoins, nous avons le devoir de dissiper toute ambiguïté. Je suppose que vous connaissiez l'existence d'une chaise diabolique appartenant aux propriétaires d'Evillodge?

– Superstition, estima le Lord. C'est tout simplement un objet horrible.

– Jason Laxter s'en est pourtant servi pour se pendre.

– C'était son destin, precisa Lady Waking. J'ai toujours pensé que cet homme-là avait partie liée avec le diable. Et si... La vieille dame s'interrompit. Ses yeux devinrent fixes, comme s'ils observaient une scene dans une autre dimension. une scène qu'elle seule pouvait voir.

– Et si c'etait le diable qui l'avait tué? demanda-t-elle d'une voix détimbrée.

Higgins, sans se départir d'un serieux de bon aloi. prit des notes sur son carnet noir.

C'est une hypothèse parmi d'autres. Lady Waking.

Scott Marlow désapprouvait la tournure que prenaient les événements. Lui qui n'avait jamais aimé la campagne et ses mœurs archaïques la détestait à présent. Il avait hâte de regagner Londres et son bureau ultra-moderne du Yard. Si, de plus, Higgins se laissait entraîner sur des chemins mystiques. l'atmosphère deviendrait tout à fait irrespirable.

– Savez-vous si Jason Laxter s'est assis sur cette chaise? interrogea l'ex-inspecteur-chef.

– Je l'ignore et je m'en moque. répondit le vieux Lord. Ce Laxter est mort. Tant mieux pour

lui comme pour nous. Druxham le rejetait. Evillodge l'a anéanti. C'est ainsi. et il n'y a rien
d'autre à ajouter.

Higgins. à la manière d'un chat sachant frôler
les objets sans rien déranger. continua à fureter
dans la pièce.

Druxham possède une bien jolie chapelle. dit
Higgins. La présence de la religion est sans doute
un élément important de la pérennité du village.

— C'est bien évident. reconnut le vieux Lord. la
religion sert à maintenir la population sur la voie
de la vertu. Il est indispensable qu'elle collabore
au mieux avec la noblesse. Sinon les esprits
s'échauffent et risquent de troubler l'ordre. A
Druxham nous n'avons jamais connu le moindre
trouble. La chapelle et le château s'y entendent à
merveille pour le bien de la population.

Higgins n'avait pas noté l'existence d'un seul
objet religieux dans cette chambre ou les Waking
semblaient pourtant avoir concentré l'essentiel de
leur passé.

Avez-vous eu l'occasion de rencontrer
l'épouse du défunt? s'enquit l'ex-inspecteur-chef.

Cette Bettina Laxter est une femme charmante. indiqua Lady Waking. Nous l'avons invitée une fois à prendre le thé. Elle n'a commis
aucune faute de goût.

— De quoi avez-vous parlé?

Mais... De rien Inspecteur! De rien et du
temps. comme il se doit lors d'une première
entrevue.

Lui avez-vous reproché le comportement de
son mari.

Bien sûr que non... C'eût été une impolitesse
grave. Cette pauvre enfant a dû beaucoup souffrir
en compagnie de son rustaud d'époux. Il l'obligeait à vivre dans cette affreuse bâtisse d'Evil-

lodge, en plein champ, dans la boue et l'humidité.
C'est indigne.

– Bettina Laxter vous a-t-elle fait des confidences?

– Nous l'aurions aussitôt interrompue. J'ai
horreur des ragots d'où qu'ils viennent. C'est ce
qui différencie les nobles du reste du monde : s'en
tenir à l'étiquette et aux règles de bonne conduite.
Les humains n'ont rien d'intéressant à dire, en
définitive. J'ai vécu assez longtemps pour m'en
apercevoir. Leur existence? Des ambitions, des
amours, des haines, des déceptions, des basses-
ses... Consternant. Seule notre vieille Angleterre a
su mettre un frein à ces débordements en nous
imposant des règles strictes. En enfreindre une
seule serait donner libre cours à la bestialité.

Sur ce point, Scott Marlow n'était pas loin de
partager l'opinion de la vieille Lady. Le superintendant avait la nostalgie de l'époque victorienne
qui avait vu son pays accéder au rang de première
puissance mondiale grâce à ses valeurs morales. Si
la jeunesse ne se décidait pas à les appliquer à
nouveau, la civilisation britannique courait à sa
perte.

– Vous n'avez malheureusement rien appris sur
les dispositions mentales de Jason Laxter, déplora
Higgins. S'il avait été très déprimé, son épouse
n'aurait-elle pas fait allusion à son état?

– Nous ne l'aurions pas remarqué, précisa
Lord Waking.

– Cette petite Bettina était trop heureuse de
s'évader d'Evillodge pour songer encore à son
époux, ajouta Lady Waking. Ici elle goûtait le
calme et le repos. Qui oserait le lui reprocher?

Higgins s'attarda sur un autre tableau évoquant
l'adolescence triomphante de Lady Waking, habillée d'une robe somptueuse en soie rose et donnant

des ordres à une dizaine de serviteurs. A l'arrière-plan, le château au temps de sa splendeur. Sur le côte. des parterres de roses.

Vous intéressez-vous aussi a la peinture? demanda le vieil aristocrate. irrité.

- Vous me percez à jour, Lord Waking.

Si vous n'avez plus d'autre question à nous poser, nous devrions rompre ici cette entrevue que je juge tout à fait inutile. Scotland Yard pourrait utiliser son temps de manière plus intelligente.

Existerait-il cause plus noble que la recherche de la vérité? interrogea Higgins dont le calme étonnait Scott Marlow. Soyez assures de la gratitude du Yard pour votre collaboration.

Le vieux Lord adressa à l'ex-inspecteur-chef un signe de tête qui pouvait passer pour un adieu.

CHAPITRE VIII

La pluie avait cessé. La fin de la journée était illuminée par un soleil pâle. La campagne, frileuse, se préparait à une nuit froide.

Pourquoi ne leur avez-vous pas demandé s'ils pratiquaient le tarot? interrogea Scott Marlow.

– J'ai mes raisons, superintendant. Pressons le pas, voulez-vous? Je n'aimerais pas manquer la célébration à la mémoire de Jason Laxter.

Les « raisons » de Higgins, Scott Marlow renonçait à les connaître. Le questionner sur ce sujet déboucherait inévitablement sur un échec. L'ex-inspecteur-chef avait la détestable habitude de toujours garder pour lui ses hypothèses au lieu de procéder à de fructueux échanges de vue. Le faire changer d'attitude n'entrait pas dans les compétences du superintendant qui marchait avec quelque difficulté sur le chemin menant du château à la chapelle, tant ses pieds lui faisaient mal. Quand cette enquête se terminerait-elle? Tous ces déplacements épuisants ne procuraient guère de renseignements intéressants. En réalité, il ne restait que deux hypothèses satisfaisantes : le suicide ou la culpabilité du pasteur. Plus le superintendant y pensait, plus cette dernière solution lui apparaissait plausible. Roger Wood avait assassiné le propriétaire d'Evillodge pour un motif encore inconnu et avait oublié sa bible sur le lieu du crime, se trahissant lui-même. S'il restait quelques détails mineurs à éclaircir, ce schéma paraissait néanmoins satisfaisant.

La chapelle de Druxham était à moitié pleine. Les deux policiers prirent place sur un banc du fond, d'où ils pouvaient observer l'assistance. Higgins nota la présence du forgeron, Thomas Lingham, au premier rang. Derrière lui, Agatha Herald, l'institutrice, un fichu sur la tête. Ni Bettina Laxter, ni Geffrey le Mauvais n'étaient présents.

Le pasteur, ému, commença la cérémonie par un éloge mesuré du défunt. Il rappela que le malheureux Jason Laxter était venu à Druxham la tête emplie de grands projets et qu'il avait dû déchanter devant la difficulté de la tâche. Désespéré, il avait mis fin à ses jours. Lorsque le pasteur annonça que le suicide n'avait pas eu lieu sur le territoire de la commune de Druxham, un soupir de soulagement s'éleva de l'assistance. La réputation du village n'était pas entachée. L'étranger avait eu la bonne idée d'aller mourir ailleurs.

Roger Wood, en dépit de la manière fort peu chrétienne dont était mort Jason Laxter, demanda aux croyants de prier ensemble pour le repos de son âme.

« Le Seigneur a brisé toute corne dans le feu de Sa colère, commença le pasteur. Il a allumé un incendie dévorant. Célébrons ensemble Son nom, qu'Il nous fasse passer de la mort à la vie. »

Les personnes présentes à la cérémonie connaissaient mal psaumes et litanies. Le pasteur était obligé de répéter deux ou trois fois les textes que l'assistance ânonnait maladroitement dans un brouhaha régulier. Grâce à son enthousiasme communicatif, Roger Wood réussit néanmoins a maintenir une certaine cohésion. Son chœur improvisé n'explosa pas en cours de route.

Conformément à la coutume, le pasteur annonça que l'office serait suivi par un banquet offert aux fidèles. Aussi la chapelle se vida-t-elle avec une rapidité certaine, les ex-choristes s'apprê-tant à devenir des convives tres actifs.

Higgins remarqua que l'institutrice-infirmière s'éclipsait avec discrétion.

– Merci d'être venus, Messieurs!

Le pasteur, chaleureux, semblait épuisé par les efforts qu'il venait de fournir.

– Avez-vous apprécié notre petite cérémonie?

– Bel hommage au disparu, apprécia Higgins.

Scott Marlow observait le pasteur d'un œil critique.

– La plupart de ces gens n'étaient guère since-res, dit-il, presque agressif. Ne sont-ils pas venus uniquement pour la traditionnelle collation?

Ce serait insulter Dieu, protesta le pasteur. Jason Laxter est mort. Il faut savoir pardonner les offenses. Le Seigneur sera le seul juge de nos actes.

– En quoi vous avait-il offensé?

Le sourire du pasteur disparut.

– Mais... en rien, Superintendant! Que signifie votre question?

Votre comportement est etrange, monsieur le pasteur.

Affole, Roger Wood regarda Higgins. quêtant de l'aide.

– Je ne comprends pas... Je pense avoir fait mon devoir vis-à-vis de ce malheureux, bien qu'il se soit suicidé... Qu'attendiez-vous donc de moi?

- Nous verrons cela plus tard... Vos invités vous attendent.

J'espère que vous en ferez partie, avança Roger Wood, inquiet.

Avec plaisir, répondit Higgins.

Le pasteur entraîna les deux policiers vers une grange à l'intérieur de laquelle avait été dressée une longue table recouverte d'une nappe blanche. Les jeunes de Druxham firent le service, apportant du pain, du jambon et de la bière.

Scott Marlow, qui s'était installé entre deux robustes paysannes, oublia un peu les nécessités de l'enquête pour se consacrer à ces victuailles dont il apprécia la qualité. Higgins se plaça à l'une des extrémités de la table de manière à converser avec deux anciens à la casquette vissée sur la tête et à la moustache abondante. Il leur versa lui-même une pinte de bière.

- Triste histoire, dit-il.

Ce Laxter n'était pas un mauvais bougre, affirma l'un des anciens. Il faisait du travail propre.

Le châtelain ne l'aimait pas beaucoup, observa Higgins.

- Les Waking n'aiment personne d'autre qu'eux-mêmes, Inspecteur. Ils sont ruinés, mais ils croient toujours être des nobles tout-puissants devant lesquels chacun doit s'incliner. Cette époque-là est terminée, mais ils ne le savent pas encore. Pour eux, la guerre n'a même pas existé... Pendant que les bombardiers attaquaient, ils ordonnaient à leurs jardiniers de tondre les pelouses. Un jour, une bombe est tombée sur l'une des ailes du château. Les Waking ont continué de déjeuner comme s'il ne s'était rien passé!

Ils avaient beaucoup de domestiques, autrefois.

– Ça oui. Inspecteur! s'exclama l'autre ancien. Le château a compté jusqu'à vingt domestiques. Aujourd'hui, il n'en reste plus qu'un, il est sourd comme un pot et presque aussi age que les Waking. Ils ne peuvent même plus le payer, mais il préfère s'éteindre au château, dans le cadre qu'il connait depuis son enfance.

Les Waking sont-ils à ce point inconscients de leur veritable situation?

Possible... Mais ce sont aussi d'excellents comédiens, comme tous les vieux soldats.

– Jason Laxter les détestait-il?

Au contraire, intervint le premier vieillard. Il les venerait. Ce Laxter était un type a l'ancienne. Il rêvait d'une campagne d'avant les machines. Pour lui, les Waking incarnaient l'ordre d'autrefois, une réalite qu'il ne fallait surtout pas détruire.

Pas d'accord, objecta le second vieillard. Ce Laxter n'aurait pas fait de mal a une mouche, mais il se rendait compte que l'affrontement avec les Waking était inévitable. S'il avait reussi à rendre prospere Fvillodge, il n'en serait pas reste la. Il aurait achete d'autres terres et serait tres vite devenu l'homme le plus riche du village. Cela, les Waking n'auraient pu le supporter.

Jason Laxter aurait mieux fait de s'occuper de sa femme, dit le premier vieillard. Quand on neglige une beaute comme ça, il ne faut plus s'etonner de rien.

Croyez-vous les Waking capables d'avoir fomente un complot contre Jason Laxter?

Les deux anciens emplirent leur bouche avec du jambon et le mastiquèrent avec lenteur. La conversation etait terminee.

Le superintendant, qui avait bu un peu trop de bière, conduisit sa Bentley avec un manque de doigté évident. Il évita au dernier moment un fossé et passa trop vite dans des trous d'eau, maculant de boue sa carrosserie. A ce retour difficile vers *The Slaughterers* s'ajoutait une humeur exécrable.

- J'ai passé une merveilleuse journée, Higgins, mais j'ai beaucoup de travail à Londres.

- Et surtout cette remise de médailles...

- Admettons. Je consens à vous prêter main-forte encore demain. Mais finissons-en au plus vite.

- Quand aurons-nous les résultats de l'autopsie?

- J'appelle le laboratoire de chez vous, si vous le permettez. Ça ne devrait plus tarder. Nous serons enfin fixés.

Mary accueillit Scott Marlow avec chaleur. Elle avait préparé un repas léger : ragoût de mouton, endives au fromage et à la confiture de coing, mousse au chocolat. Higgins, prétextant une subite migraine, laissa en tête-à-tête le superintendant et la gouvernante.

De retour dans ses appartements privés, l'ex-inspecteur-chef commença par nourrir Trafalgar auquel il offrit une tranche de saumon fumé et trois carrés de chocolat amer extra-fin, le seul que le siamois appréciât.

Higgins n'avait pas faim. Après être passé dans sa salle de bains et avoir enfilé sa robe de chambre bleu nuit sur mesures, il vint s'asseoir devant un feu de bois.

Trafalgar, une fois gavé, bondit sur les genoux

de l'ex-inspecteur-chef, s'y pelotonna et ronronna sous les douces caresses que lui dispensait son ami. Higgins, qui connaissait bien les chats, avait toujours soigneusement évité de se comporter comme un maître face à un animal. Trafalgar tenait a son indépendance, l'ex-inspecteur-chef aussi. Ce goût commun les réunissait dans une véritable fraternité d'armes. Higgins n'avait pas besoin d'expliquer ses tourments à Trafalgar. Non seulement il les percevait intuitivement mais encore, par un processus mystérieux s'apparentant à la télépathie, lui ouvrait-il des pistes auxquelles il n'avait pas songe.

C'est pourquoi Higgins avait décide de passer cette soirée en compagnie de Trafalgar, loin du monde et du bruit. Il éprouvait le besoin de faire le point, de relire ses notes, de laisser les événements se décanter pour discerner l'essentiel et rejeter le secondaire.

Bettina Laxter, la femme du mort; Lord Graham Waking et Lady Emily Waking; Geffrey le Mauvais, l'ouvrier agricole d'Evillodge; Roger Wood, le pasteur; Mitchell Grant, le sonneur de cloches; Thomas Lingham, le forgeron, Agatha Herald, l'institutrice-infirmiere... Higgins avait rencontre tous les protagonistes du drame, si drame il y avait eu.

Jason Laxter se donnant la mort? Non, c'était impossible. Des différents interrogatoires se degageait l'image d'un homme attachant, d'un idealiste qui avait cependant les pieds sur terre. Jason Laxter n'etait pas un rêveur grimpant sans points de reperes la montagne de l'utopie. Au contraire, il possedait les qualites d'un technicien serieux. Personne, a vrai dire, n'envisageait son echec. C'etait sa probable reussite qui avait fait peur aux sommités de Druxham, attaches à leurs privileges

et redoutant de voir les choses se modifier en leur
défaveur.

Jason Laxter était un homme dangereux. Il
fonçait droit devant lui sans s'occuper des sensibi-
lités qu'il froissait et des ennemis qui, dans l'ombre, édifiaient contre lui une stratégie meurtrière.
Des ennemis... Pourquoi songeait-il spontanément
à un complot, à une association d'assassins répon-
dant à des motivations différentes? Peut-être
parce que la macabre mise en scène, autour du
cadavre de Laxter, ne semblait pas être l'œuvre
d'un seul individu. Semblait... Plus que jamais,
Higgins devait se méfier des apparences et des
conclusions précipitées. On lui avait menti, on
avait refusé de lui dire toute la vérité; on avait
tenté de l'égarer... Dans quelle intention, sinon
pour masquer les circonstances d'un crime? Trafalgar ronronnait. Higgins lisait ses notes, s'attardant sur tel ou tel détail. Rien de cohérent ne se
dégageait. Il avait l'irritante sensation de ne pas
voir ce qu'il avait devant les yeux. Mais il lui
manquait trop d'éléments pour obtenir de meilleurs résultats. Bientôt, il lui faudrait sortir de sa
position d'observateur et passer à l'attaque, même
s'il devait sortir un peu de la légalité.

L'ex-inspecteur-chef éprouvait une estime crois-
sante pour Jason Laxter. Au fond, c'était un
pionnier. Il avait décidé de s'aventurer dans l'inconnu et d'apprivoiser une terre sauvage, rebelle,
sans tenir compte des risques qu'il encourait.
Comment aurait-il pu supposer qu'il déclencherait
autant de haine? Cela avait été son erreur. Une
erreur irréparable.

— Avez-vous bien dormi, mon cher Marlow?

— Pas exactement... Je me suis senti l'estomac un peu lourd.

— Peut-être souhaiteriez-vous vous reposer, aujourd'hui?

Au moins ce matin...

Demandez a Mary de vous preparer une tisane pour le foie. Je retourne a Druxham a pied. Nous nous retrouverons pour le déjeuner ou bien au village dans l'apres-midi.

Très las, affecte par une epouvantable migraine, Scott Marlow ne protesta pas.

*

Si Higgins resistait a l'arthrose et aux maux divers qui tentaient d'accabler un retraite de Scotland Yard, c'etait grâce a sa promenade matinale a travers bois. Elle presentait d'innombrables avantages, le moindre d'entre eux n'etant certes pas l'absence de toute presence humaine. L'ex-inspecteur-chef appreciait au plus haut point la compagnie des lapins, des biches et des oiseaux dont il prenait soin de ne pas deranger l'univers.

Higgins avait la faculte de se deplacer comme un chat, sans faire le moindre bruit. Son allure un peu pataude avait trompe bien des gens qui le croyaient incapable de rapidite. En realite, il menageait ses forces pour le moment décisif au lieu de les disperser dans une serie d'actions secondaires. L'homme du Yard avait passe une nuit presque blanche devant son feu de bois mais il ne se sentait pas fatigue. Ces heures de meditation lui avaient permis de mieux percevoir, au-delà des apparences, la vraie personnalité de Jason Laxter. A présent, il avait la certitude que c'était un être de valeur qu'il avait retrouvé pendu à une branche du « Juge éternel ».

En approchant du grand chêne, Higgins craignit de découvrir une nouvelle scène macabre. Il avait le sentiment que la mort rôdait encore, qu'elle n'avait pas eu son compte de victimes. Mais le « Juge éternel » se contentait de trôner au cœur de la forêt, affichant son immuable royauté d'arbre géant. L'âme de Jason Laxter errerait entre ciel et terre tant que le ou les responsables de sa mort n'auraient pas été identifiés. Higgins avait pour mission de faire la lumière, quelle que fut l'épaisseur des ténèbres. Ce que déciderait ensuite la justice des hommes, il s'en moquait. Il n'avait jamais eu confiance en elle et c'était sans doute l'une des raisons pour lesquelles il s'était prématurément retiré à la campagne. Il avait quitté Scotland Yard, mais Scotland Yard ne l'avait pas quitté. Identifier un assassin n'était que l'apport d'une goutte d'eau à l'océan de la vérité, mais l'ex-inspecteur-chef tenait à cette goutte-là comme au nectar le plus exceptionnel.

C'est au pied du « Juge éternel » qu'il jura à l'âme de Jason Laxter de ne pas laisser son trépas inexpliqué.

En marchant vers Druxham, Higgins se remémora une fois de plus la liste des suspects. Il en avait oublié un : le moine qu'il avait bel et bien aperçu, courant dans la nuit. A sa connaissance, il n'y avait plus de monastère dans la région. S'il ne s'agissait pas d'un fantôme, d'où venait-il et pourquoi se trouvait-il dans les parages ?

En ce lundi matin d'automne, Druxham était calme, si calme... Le son des cloches dans l'air bleuté, le crissement des roues d'une charrette

passant dans la rue principale, le chant du forgeron battant le fer sur l'enclume, le piaillement des
moineaux venant picorer des miettes de pain sur
le rebord d'une fenêtre, l'herbe très verte d'ou
montait une odeur suave apres la première pluie
de la journée, des bordures de fleurs jaunes et
rouges buvant le soleil tiede...

Spectacle changeant dans son immobilite, la vie
quotidienne du village pouvait-elle cacher quelque
crime ou quelque abjection?

En poussant la barriere installee devant la
maison de l'institutrice-infirmiere, Higgins se prit
a esperer qu'il s'etait trompe depuis l'instant ou
il avait vu le pendu, et que Jason Laxter avait
cede au desespoir.

Mais voici longtemps qu'il avait perdu ses
illusions.

CHAPITRE IX

Les fenêtres de la petite maison d'Agatha Herald étaient grandes ouvertes pour laisser pénétrer le soleil. Constatant l'absence de l'infirmière, Higgins marcha jusqu'à l'école dont la porte était fermée. N'osant interrompre le cours que donnait probablement l'institutrice, l'ex-inspecteur-chef fit le tour du bâtiment, les yeux rivés sur le sol, comme s'il cherchait un indice.

La porte s'ouvrit avec une rare violence. Poussant des cris aigus, deux gamins en culottes courtes détalèrent à toutes jambes.

Higgins attendit quelques instants, redoutant une autre sortie en force. Le calme revenu, il pénétra dans l'école. Agatha Herald était assise à son bureau, la tête dans les mains. L'ex-inspecteur-chef toussota.

L'institutrice, intriguée, leva les yeux vers lui.

— Pardonnez-moi, dit Higgins. Je ne vous savais pas si fatiguée.

— Je ne suis pas fatiguée, Inspecteur... Simplement découragée. Deux élèves... Deux élèves qui ne comprennent rien et ne veulent rien apprendre. Je ne sais plus trop quoi faire... Ils ne rêvent que de bagarres et de jeux. Et leurs parents ne me soutiennent pas, au contraire. Pour eux, l'école est inutile. Je me demande parfois pourquoi je continue...

— Le travail finit toujours par être récompensé, affirma Higgins. Il y a de mauvais moments, bien sûr, mais les enfants retiennent mieux qu'on ne l'imagine. Souvent, bien des années après la leçon donnée par l'institutrice, ils s'en souviennent. C'est ainsi que j'ai appris la géographie sans même m'en douter.

Un sourire illumina le visage ingrat d'Agatha Herald.

— Vous avez raison, Inspecteur... Puis-je vous offrir un café?

— Je n'osais vous le demander.

L'institutrice ne put tenir sa promesse dans les minutes qui suivirent car un paysan se présenta sur le seuil de sa demeure, un petit veau dans les bras. L'animal avait la fièvre. Agatha Herald se transforma en vétérinaire et ausculta la pauvre bête qui, identifiant une main amicale, se laissa volontiers soigner.

Cette situation permit à Higgins d'observer Agatha Herald qui ne tremblait pas et ne manifestait aucune émotion. Elle agissait en technicienne expérimentée, rompue aux urgences. Sa tâche achevée, elle se lava longuement les mains et s'absenta quelques instants pour se pomponner.

Impeccable dans sa jupe noire et son corsage blanc très strict, elle prépara un café à l'arôme délicat qui chatouilla agréablement les narines de Higgins.

— Votre maison est charmante, mademoiselle Herald, de même que votre compagnie. J'ai rencontré les personnalités marquantes de Druxham et je puis vous annoncer que vous êtes la plus accueillante d'entre elles.

L'institutrice rosit sous le compliment.

- Une sucrerie vous ferait-elle plaisir. Inspecteur? J'ai de la confiture de myrtille que j'ai preparée moi-même.

- Ce doit être un délice, mais je m'interdis le sucre depuis quelques années.

Vous n'avez pas tort et semblez être en excellente forme.

- C'est selon, mademoiselle Herald. La vie a la campagne est garante d'une bonne santé, certes, a condition qu'elle ne soit pas perturbée par des émotions violentes. Comme la mort de Jason Laxter, par exemple.

L'institutrice serra son bol entre ses mains, le regard fixe sur la rue principale de Druxham.

- Vous n'avez pas tout dit. mademoiselle Herald. Je suis certain que vous en savez beaucoup sur cette affaire. Pourquoi vous taisez-vous?

Agatha Herald, gênée, baissa les yeux.

- J'aimais beaucoup Jason Laxter. Inspecteur. Je ne voudrais pas nuire a sa mémoire.

- Je me suis promis d'éclaircir les circonstances de sa mort, mademoiselle Herald, et j'irai jusqu'au bout. Même si je dois briser la loi du silence qui pèse sur Druxham. Même si je dois fouiller dans certaines existences et déterrer des souvenirs interdits.

Agatha Herald but du café, se leva, fit quelques pas, s'empara d'un plumeau, astiqua un bibelot parfaitement propre et se rassit, toujours aussi nerveuse.

- La meilleure solution consisterait a soulager votre conscience conseilla Higgins Certains secrets sont trop lourds à garder

L'institutrice retint ses larmes avec difficulté.

- Je ne voudrais nuire a personne... Si je parle,
je vais faire du mal...

Si vous ne parlez pas, nous perdrons du
temps et nous commettrons des erreurs. Si votre
confession n'est d'aucune aide, je vous promets de
ne pas la divulguer.

Hélas. Inspecteur, vous n'aurez pas a tenir
cette promesse-la... Ce que je sais concerne directement votre enquête, je le crains.

En ce cas, chère mademoiselle, vous ne devez
plus avoir aucune hésitation.

Le regard apaisant de l'ex-inspecteur-chef, son
ton tres doux, son attitude comprehensive déten-
dirent un peu l'institutrice. Elle se jeta a l'eau.

Dans un petit village comme Druxham,
déclara-t-elle, tout finit par se savoir. Jason Laxter aurait reussi dans son entreprise s'il avait été
mieux secondé. A ses côtés, malheureusement...

- Vous voulez parler de sa femme. Bettina?

- Exactement. Inspecteur. Elle est prétentieuse
et paresseuse, incapable de s'interesser a un idéal.
Elle n'aime que sa petite personne. Se maquiller,
s'habiller, se parfumer... Voila tout ce qui compte
pour elle. Elle était incapable de comprendre un
homme comme Jason Laxter. Comment aurait-
elle pu l'aider dans son travail? Il aurait eu besoin
d'une femme courageuse, active, travailleuse qui
n'aurait pas craint de se salir les mains...

Higgins resservit du café a l'institutrice.

Bettina Laxter n'aimait donc ni le village ni
l'existence que son mari lui faisait mener, admit
Higgins. Ce sont des faits indiscutables. Mais
votre jugement est etayé sur autre chose, mademoiselle Herald... N'auriez-vous pas ete temoin
d'un evenement important qui vous aurait eclaire
sur le caractere de Bettina Laxter?

Higgins, en avançant cette hypothese, utilisait

autant l'intuition que la déduction. D'apparence indestructible, Agatha Herald n'en était pas moins une femme au psychisme plutôt vulnérable. Dès leur première rencontre, il avait décelé chez elle un malaise dont il devait discerner la cause. Il avait mise sur la détention d'un secret qu'elle s'apprêtait a lui faire partager.

– Un événement important, répéta-t-elle, oui, c'est bien cela...

Elle mit les mains sur ses yeux, comme pour ne plus revoir la scène affreuse qui, voici une dizaine de jours, l'avait plongée dans une profonde tristesse.

– La nuit était tombée, révéla-t-elle, je préparais le dîner. Il me manquait du serpolet, je suis sortie pour aller au jardin, derrière l'école. De cet endroit, je vois la maison du forgeron, Thomas Lingham. J'ai regardé, par hasard, dans cette direction... Et je les ai vus, tous les deux.

– Thomas Lingham et Bettina Laxter?

– Oui, Inspecteur, avoua l'institutrice dans un souffle. Bettina Laxter sortait de la forge. Elle lui a adresse un petit signe de la main et elle est partie en courant.

– Comment était-elle habillée?

– Comme d'habitude... Avec une robe de la ville et des escarpins.

– Avez-vous tente de lui parler?

– Non, bien sûr que non... Mais je suis allée chez le forgeron. Je voulais l'interroger. Il m'a très mal reçue et m'a ordonné de m'occuper de mes affaires, pas des siennes. Quelle ingratitude... Je l'ai bien soigné, à plusieurs reprises, quand il souffrait de brûlures. Il n'était pas aussi violent dans ces moments-là.

– Vous a-t-il donné une explication quelconque

sur la présence chez lui de l'épouse de Jason
Laxter?

- Pas un mot.
- Quelle est la vôtre, mademoiselle Herald?
L'institutrice se moucha.
- Je crois... Je crois qu'elle était sa maîtresse.
C'est tellement abominable...
- Qu'elle était... ou qu'elle allait le devenir?
Agatha Herald regarda Higgins avec étonne-
ment.
- La différence est-elle si importante?
- C'est probable.
- Je ne sais pas. Je n'ai rien vu d'autre. Mais
comment interpréter autrement la présence d'une
Bettina Laxter chez un artisan de Druxham? Elle
ne venait jamais au village. Elle a été invitée une
fois par Lord et Lady Waking parce qu'elle
appartenait à leur monde.

Vous a-t-elle vraiment donné l'impression de
se cacher?

Certes oui. Elle se sentait coupable. Elle avait
honte de trahir un mari aussi exceptionnel que
Jason Laxter. Mais elle l'a quand même fait..

Croyez-vous qu'il se serait suicidé après avoir
découvert son infortune?

Agatha Herald ferma les yeux, se concentrant.
Higgins continua à prendre de nombreuse notes
sur son carnet noir. La pointe de son crayon
Staedler Tradition B, finement taillée, courait
avec allégresse sur le papier blanc.

Je n'arrête pas d'y penser, confessa-t-elle.
Comme je vous l'ai déjà dit, tout se sait, à
Druxham. Quelqu'un aura révélé à Jason Laxter
que sa femme le trompait. La déception a dû être
énorme. D'une certaine manière, c'est elle qui l'a
tué. Mais à quoi bon parler de tout cela? Aux yeux

de la justice, elle n'est pas coupable... Et son mari est mort, je regrette d'avoir evoqué cette scène...

– Vous avez eté très courageuse, la félicita Higgins. D'autres le sont moins.

Intriguee, l'institutrice serra de nouveau son bol de café entre ses mains comme si elle se rattachait à une valeur sûre.

– De qui voulez-vous parler, Inspecteur?

– De Geffrey le Mauvais, l'ouvrier agricole qui travaille a Evillodge. Il etait au service des Laxter. Il a dû assister a des querelles, entendre quelque chose.

– Le Mauvais sait tout faire, indiqua-t-elle : tailler une haie, labourer, faucher, meuler, réparer portes et fenètres, couvrir un toit et mille autres choses   Mais il ne s'occupe que du domaine, de *son* domaine d'Evillodge. Les gens ne l'interessent pas. Il appartient a cette race de vieux garçons qui, dès leur adolescence, savent qu'ils ne se marieront jamais et n'en conçoivent aucune amertume. Aucune fille des environs n'a jamais pose un œil sur lui. Il a longtemps vécu avec sa mere qui est morte il y a cinq ans. Aujourd'hui, il est seul et s'en accommode.

– Est-ce qu'il s'entendait bien avec son nouveau patron, Jason Laxter?

– Ils ne se parlaient presque pas. M. Laxter donnait des directives, Geffrey obeissait.. ou agissait a sa guise! Une tête de cochon, c'est certain. Il incarne mon plus grand echec. Je l'ai eu comme elève pendant quelques mois mais je n'ai pas réussi à lui apprendre à lire et à ecrire. Il n'ecoutait pas, se bouchait les oreilles, tapait du poing sur son pupitre. Ce qu'il voulait, c'était retourner à Evillodge. Il ne se sent bien que là-haut, dans sa boue. S'il garde le silence, ne vous etonnez pas. C'est dans sa nature. De plus, je suis persuadée qu'il n'a rien à vous apprendre. Les Laxter n'étaient pour lui que des hôtes de passage. De son point de vue, les vrais propriétaires d'Evil-lodge, ce sont les Mauvais, de père en fils.

— Ce qui signifie, jugea Higgins, qu'il était hostile à toute modification du domaine.

— Je n'y avais pas pensé, avoua l'institutrice. Qu'en déduisez-vous ?

— Rien pour le moment, mademoiselle Herald. C'est une simple constatation.

— Le soupçonneriez-vous... de quelque chose ?

Higgins eut un bon sourire.

— C'est hélas ! le lot d'un inspecteur du Yard pendant une enquête : soupçonner tout le monde de quelque chose.

— Avec lui, vous faites certainement fausse route. Geffrey le Mauvais est un brave homme, attaché à sa terre. Personne n'a jamais rien eu à lui reprocher. C'est un travailleur acharné et quelqu'un qui ne s'occupe pas des affaires d'autrui.

— Voilà, en effet, bien des qualités.

L'ex-inspecteur-chef referma son carnet noir.

— Vous m'avez été fort utile, mademoiselle Herald.

Alors que Higgins franchissait le seuil de la coquette demeure, l'institutrice le rattrapa.

— Et pour elle, comptez-vous quand même l'interroger ?

— Rassurez-vous, mademoiselle Herald. Personne n'échappera à ses véritables responsabilités.

**
**

Higgins se dirigea vers la chapelle.

Malgré un agréable rayon de soleil qui tentait

vainement de rendre ses pierres plus chaleureuses, elle demeurait toujours aussi sinistre. La porte du lieu saint était entrouverte. Roger Wood, le pasteur, était à quatre pattes. Armé d'une serpillière, il frottait le sol avec une belle ardeur. Son crâne chauve allait et venait en cadence. D'une main sûre, il tordait la serpillière au-dessus d'un seau puis recommençait à astiquer.

Jugeant indélicat de taper sur l'épaule d'un pasteur accroupi, Higgins signala sa présence en fermant la porte. Roger Wood se retourna.

— Ah, c'est vous, Inspecteur ! Quel bon vent vous amène ? Vous pouvez laisser ouvert... C'est la maison du Seigneur. Les fidèles y sont toujours bien accueillis. Avez-vous besoin de me voir ?

— Quelques petites questions à vous poser, si vous n'y voyez pas d'inconvénient.

— Venez vous asseoir... Là-bas, sous le vitrail sud, nous serons bien. Le soleil nous réchauffera un peu. C'est mon endroit préféré. La méditation y est aisée.

Roger Wood avait bien travaillé. Sa chapelle, bien que froide et dépouillée, était un modèle de propreté.

— Votre sonneur de cloches ne vous aide-t-il pas pour accomplir ces tâches domestiques ? s'enquit Higgins.

— Mitchell s'occupe de ses cloches et de rien d'autre, Inspecteur. Je le réquisitionne quand même pour la bonne marche des offices, mais je ne peux rien en obtenir de plus ! Heureusement c'est un as dans sa partie... Les bons carillonneurs se font si rares aujourd'hui ! Et c'est un bon garçon... Il n'y a rien d'humiliant à frotter par terre, vous savez. Le Seigneur apprécie davantage les tâches les plus humbles que les exploits éphémeres. Rendre belle sa demeure me comble de joie

Higgins leva les yeux vers le plafond en bois. Pas une seule toile d'araignée.

- Lors de la célébration où vous avez évoqué la mémoire de Jason Laxter. il n'y avait pas que des habitants de Druxham.

Non. répondit le pasteur. Il y avait aussi des personnes venant des villages voisins. Elles ne se dérangent que lors des grandes occasions.

Ce suicide semble provoquer un grand trouble dans la région.

C'est pourquoi j'ai tenu à faire intervenir le Seigneur de sorte que la mort de ce malheureux, même si d'aucuns la considèrent comme indigne. ne demeure pas engluée dans le monde profane.

De sa voix grave et enjouée. Roger Wood exprimait ses convictions avec ardeur. Il appartenait à une espece de pasteurs combatifs et convaincus en voie de disparition. Higgins, debout. consulta son carnet noir.

Il y a un personnage qui m'intrigue. avoua-t-il : Geffrey le Mauvais. Je ne parviens pas à cerner sa personnalité et je me demande s'il n'aurait pas joué un rôle dans la mort de Jason Laxter.

Roger Wood réprima difficilement un éclat de rire.

Lui? Par le saint nom du Seigneur. je ne crois pas! Ce pauvre homme porte son patronyme comme une malédiction! Il n'est pas plus mauvais qu'un autre. mais sa famille doit supporter cette épithète-là depuis des siècles! L'hérédité est lourde à porter. j'en conviens. C'est sans doute ce qui explique son caractère bute et renfermé.

N'a-t-il pas eu des altercations avec son patron, Jason Laxter?

– Pas à ma connaissance... Geffrey le Mauvais est un excellent ouvrier agricole.

Jason Laxter ne lui volait-il pas son domaine d'Evillodge?

– Evillodge n'appartient pas à Geffrey, Inspecteur! Il y travaille et n'a pas d'autre prétention. On dirait que lui seul peut affronter ces terres pourries sans s'y pourrir. Il en connaît la moindre parcelle et s'y sent parfaitement à l'aise. Il n'y a pas d'autre mystère. Ce pauvre bougre est une âme simple, sans complications.

Higgins s'arrêta devant le lutrin et feuilleta la bible.

Si ce n'est pas trop vous demander, Inspecteur... Quand pourrai-je récupérer ma bible personnelle?

Je l'ignore. Elle est entre les mains des experts du Yard.

– Vont-ils... me l'abîmer?

– Ce sont des gens précautionneux. Vous devriez la retrouver en parfait état. Agatha Herald semblait nourrir une grande estime à l'égard du défunt. En revanche, en ce qui vous concerne, elle se montre plutôt critique.

Roger Wood leva les bras au ciel et les laissa retomber sur son habit noir.

Hélas! Trois fois hélas! Cette excellente femme refuse le concours de la religion! C'est une parfaite infirmière, d'une compétence incontestable. L'institutrice, en revanche, oriente les enfants vers des chemins que je ne saurais approuver. Une éducation sans Dieu est une éducation avec le diable. Jason Laxter formulait aussi des réserves à son endroit.

De quel ordre? s'étonna Higgins, continuant à feuilleter le livre saint.

Il voulait réformer le système éducatif

L'école de Druxham. faute d'élèves, risquait de fermer. Mlle Herald est en conflit permanent avec les agriculteurs qui préfèrent retenir chez eux leurs enfants plutôt que de les abrutir par un enseignement laïque. Nous devions nous rencontrer longuement, M. Laxter. Mlle Herald et moi pour échanger nos points de vue. Je comptais proposer des heures d'éducation religieuse et M. Laxter un apprentissage technique. Mais la discussion aurait été rude... Notre institutrice est plutôt têtue. Seul contre elle. je n'ai aucune chance. Avec Jason Laxter, j'avais un espoir d'aboutir. Nous nous serions soutenus l'un l'autre. Sa mort me prive d'un allié de poids.

– M. Laxter s'est-il affronté au forgeron, Thomas Lingham?

– Jason Laxter n'était pas homme à affronter autrui de manière virulente, Inspecteur. Il cherchait la conciliation. Mais Thomas Lingham...

Récits, chroniques, prophéties composant l'univers de la Bible défilaient sous les doigts de Higgins.

– Qu'avait-il de particulier? demanda l'ex-inspecteur-chef.

– Impossible de plaire à Thomas. C'est un bloc monolithique inaccessible a toute novation. à tout changement. Jason Laxter l'avait bien senti. Il considérait le forgeron comme un homme du passé qui n'avait aucune chance de s'intégrer à l'avenir du village

Higgins referma la bible.

– N'avez-vous rien d'autre à me dire au sujet du forgeron?

Le pasteur parut surpris.

– De Thomas Lingham? Qu'en dire d'autre? Forgeron. il est. forgeron il restera. Le reste du monde ne l'intéresse pas.

« A Druxham. il ne semble pas être le seul dans ce cas », pensa Higgins.

- Vous prenez beaucoup de notes sur votre carnet observa le pasteur. Je croyais que Scotland Yard ne jurait plus que par les methodes modernes, la police scientifique et les ordinateurs.

Rien ne remplacera jamais l'ordre et la methode. repondit Higgins. Pour les mettre en pratique. un crayon et un carnet demeurent les meilleurs outils de l'enquêteur qui va sur le terrain.

Ce carnet est un peu votre bible, si je puis me permettre.

A une différence pres, monsieur le pasteur : on ne l'a jamais retrouvé dans la poche d'un cadavre.

CHAPITRE X

L'air de la campagne avait presque assassiné le superintendant Marlow. Se sentant très faible, il avait accepté un déjeuner reconstituant préparé par Mary puis s'était obligé à faire une sieste réparatrice. S'apercevant que cette dernière risquait de se prolonger l'après-midi durant, Higgins, son carnet noir dans sa poche d'imperméable, quitta discrètement son cottage pour aller se promener dans la forêt.

C'était le meilleur moyen, en effet, pour lutter contre l'arthrose sournoise qui recommençait à bloquer son genou gauche. Une marche intensive assouplirait l'articulation, d'autant plus qu'elle s'effectuerait sur une grande variété de terrains. L'automne anglais, dans la région de *The Slaughterers*, était magnifique. Les feuilles mourantes dansaient, sous le souffle du vent, un ballet d'or, de jaune et de roux. Les bruyères s'enflammaient, plantes mystérieuses et ondulantes, souvenirs vivants des premiers âges de l'humanité. Les arbres semblaient se rapprocher les uns des autres, comme pour mieux résister aux première attaques du froid. La terre avait changé de consistance. Elle devenait tendre, lourde, endormie. Les nua ges défilaient vite dans le ciel. L'ex-inspecteur-chef passait volontiers des heures à les regarder, tant le paysage était changeant. Ils estompaient les turpitudes de la condition humaine qu'il avait réussi à oublier dans la solitude et le silence.

Et voilà que le crime venait le perturber au cœur même de sa retraite, l'obligeant à se remettre au travail et à rechercher une vérité enfouie dans les ténèbres. Sans s'en rendre compte, Higgins avait pris la direction du grand chêne dont la sérénité avait été, elle aussi, troublée par la présence d'un cadavre pendu à l'une de ses branches.

Higgins demeura plus de deux heures à cet endroit, l'arpentant en tous sens, s'asseyant sur une pierre moussue, se relevant pour gratter un peu d'écorce, fouiller dans un tas de feuilles mortes, soulever des branchages tombés sur le sol. Contrairement à ce qu'aurait pu supposer un observateur, il n'était pas à la recherche d'un indice. Il savait qu'il n'en trouverait pas. Higgins désirait percevoir les traces invisibles de la mise en scène de ce suicide. Si, comme il le pensait, Jason Laxter avait été étranglé, l'assassin avait été présent en ce lieu. Il l'avait foulé de ses pas, imprégné de ses gestes. Ce que des yeux de chair ne pouvaient pas voir, le « flair » d'un inspecteur du Yard était capable de l'enregistrer, orientant ainsi les recherches sur la bonne piste. Viendraient ensuite l'ordre et la méthode, indispensables pour démontrer ce que la logique avait perçu.

Higgins travaillait toujours ainsi pour mener une enquête, se gardant bien de faire à ses collègues la moindre confidence sur la technique utilisée.

Quand la nuit commença à tomber, il prit la direction de Druxham, satisfait d'avoir passé une

bonne partie de l'apres-midi en compagnie des
ombres de la victime et de l'assassin.

Mitchell Grant, le sonneur de cloches, se terrait,
comme chaque soir, derrière la sinistre chapelle du
village. Que la lune brillât ou non, que le ciel fût
couvert ou dégagé, il se trouvait là, sous un
auvent, dans la plus parfaite obscurité. Il pouvait
ainsi observer les allées et venues des uns et des
autres sans être vu. Lorsqu'on le croyait dans son
clocher, Mitchell Grant se cachait là. Lorsqu'on le
croyait en vadrouille dans les bois, il dormait dans
le clocher. Une fois, une seule, il avait été surpris... Depuis, il n'avait plus cessé de trembler et
d'avoir peur. C'est pourquoi il redoublait de
precautions, certain qu'il courait le plus grave des
dangers.

Mitchell Grant en savait trop sur tout le
monde. Curieux du moindre détail insolite, à
l'affût des écarts de conduite des habitants du
village, il aurait pu raconter leur existence dans le
moindre détail. Deux petites ouvertures, prati-
quees dans le sommet du clocher, n'étaient-elles
pas de parfaits postes d'observation ?

Le jeune homme a la tignasse rousse aurait
aimé consigner sur un cahier la multitude d'informations dont il était le détenteur. Mais il ne savait
pas tres bien écrire. Alors, chaque nuit, pour
lui-même et pour ne rien oublier, il se racontait ce
qu'il savait sur tel ou tel personnage de Druxham.
Ces incessantes répétitions ne le lassaient pas, au
contraire. Elles lui donnaient l'impression d'être
un homme important, sans doute le plus important du village. Et quand sonneraient les cloches
pour un mariage ou un enterrement, il saurait

exactement a quels évenements de la vie des intéresses correspondrait chaque note.

Mitchell Grant aurait été pleinement heureux de son sort s'il n'y avait pas eu la peur. Une crainte qui lui mordait le ventre et lui enserrait la gorge. Il ne parvenait pas a oublier les menaces dont il avait été l'objet. Mais il ne réussirait pas non plus a changer de comportement. Comment renoncer a la seule passion qui l'animàt, observer et encore observer?

La nuit était douce et noire. Un voile d'épais nuages avait obscurci le ciel de Druxham. Mitchell Grant aimait ce temps incertain, l'humidité qui montait de la terre, le parfum de l'herbe mouillée. Il commençait a réciter la vie du forgeron, Thomas Lingham, lorsque son être entier se tétanisa.

Une main venait de se poser sur son épaule.

Ne vous enfuyez pas, recommanda la voix apaisante de Higgins. Je ne vous veux aucun mal. J'aimerais simplement m'entretenir avec vous.

Vous êtes... l'inspecteur de Scotland Yard?

— Exactement. Vous m'intriguez beaucoup, monsieur Grant.

Le jeune homme se retourna, constatant avec soulagement qu'il était bien en face d'un des deux policiers croisés le samedi soir. Il avait redouté une toute autre rencontre.

Je... Je n'ai rien a dire.

— Je suis persuadé du contraire, affirma Higgins, débonnaire. Vous êtes un garçon rapide, intelligent. Je suis sûr aussi que vous êtes doté d'un sens de l'observation peu commun.

Pas du tout, rétorqua vivement Mitchell Grant. Je passe tout mon temps avec mes cloches.

— Du moins a côté d'elles, suggéra l'ex-inspecteur-chef. N'y a-t-il pas deux trous qui vous permettent de contempler à loisir les activités des uns et des autres?

Le jeune homme rougit jusqu'aux oreilles persuadé que, malgré l'obscurité, le policier s'en était aperçu.

Qui vous l'a dit?

— Personne, monsieur Grant. Je suis comme vous. J'observe.

Le sonneur de cloches baissa la tête. Il aurait aimé s'enfoncer dix pieds sous terre.

- Bon... bon... Je regarde parfois ce qui se passe, au village... Ce n'est pas un crime.

· Certes pas. Votre... hobby pourrait même m'être fort utile.

- Je ne vois pas en quoi! se rebella le rouquin.

· Allons, monsieur Grant. décontractez-vous, recommanda Higgins avec chaleur. J'ai ici un breuvage qui rend les conversations fructueuses.

Higgins tendit au sonneur de cloches un flacon contenant de l'authentique Royal Salute. le nectar des whiskies.

D'abord mefiant. Mitchell Grant huma le goulot. Aussitôt charmé il le porta à sa bouche et vida la quasi-totalité du flacon.

Jamais rien bu de semblable, avoua-t-il admiratif en s'essuyant les levres d'un revers de manche.

- Vous m'en voyez heureux. Considérez cela comme un gage d'amitié.

— Ami. moi, avec la police?

— Elle n'est pas toujours nuisible, affirma Higgins. Surtout lorsqu'il s'agit d'identifier un assassin.

Le rouquin prit une expression butée.

Il n'y a pas d'assassin. M. Laxter s'est pendu.

Higgins etait alle trop loin, trop vite. Il decida de prendre un autre chemin.

Il m'est venu une idee étrange, monsieur Grant. J'ai l'impression que vous ne cherchez pas seulement à observer mais aussi a vous cacher.

Me cacher? Mais pourquoi?

C'est precisement ce que vous allez me confier, entre quatre yeux.

Une douce chaleur circulait dans les veines du jeune homme.

Elle le détendait et affaiblissait sa resistance De plus, il éprouvait une confiance certaine envers cet inspecteur bonhomme, a la moustache poivre et sel, dont la seule presence avait quelque chose de rassurant. Il avait aussi la certitude qu'il ne céderait pas avant d'avoir obtenu ce qu'il desirait.

– Il est parfois necessaire de se cacher, Inspecteur. Certains ne me veulent pas du bien, à Druxham.

Je m'en doutais un peu, monsieur Grant. Quelqu'un vous aura surpris a l'espionner et en aura manifesté un vif mecontentement.

– C'est un peu ça en effet...

– Et qui est ce... quelqu'un?

– Vous n'auriez pas encore un peu de whisky?

Higgins offrit le fond du flacon. Mitchell Grant ne se fit pas prier.

Vraiment bon... Ça me gene de denoncer quelqu'un.

Denoncer n'est peut-être pas le terme exact, analysa Higgins. Ne s'agirait-il pas plutot de vous soulager d'une certaine crainte?

Le jeune homme acquiesça.

– Il y a de ça... Mais ça n'avait aucun rapport avec mon amour de l'observation. J'ai eu besoin d'un outil pour réparer une de mes cloches. Thomas est un type violent, pas facile à aborder... Alors, j'ai été obligé de lui prendre un petit marteau sans son accord... Il a considéré ça comme un vol. Quelle exagération... Il s'est énervé et m'a tapé dessus. J'ai bien cru qu'il allait me tuer. J'ai réussi à lui échapper.

– Quand cet évenement s'est-il produit?

– Il y a environ quinze jours.

– Avez-vous croisé sa route, depuis?

– Sûr que non! Je l'évite avec soin!

– A-t-il tenté de vous retrouver?

– Non... Thomas est une brute, mais il n'a pas de mémoire. J'espère qu'il oubliera. J'ai quand même peur... C'est pourquoi j'évite de me montrer.

– Craignez-vous d'autres personnages influents de Druxham?

Mitchel Grant refléchit longuement.

– .. Le vieux Lord, je le fuis dès que je l'aperçois...

– Vient-il souvent au village? demanda Higgins.

– Au moins une fois par jour... Deux fois, avec sa canne, il m'a frappé parce que je ne m'écartais pas assez vite. Il paraît vieux, comme ça, mais il est rudement fort. Je ne me frotterais pas à lui. Notez que sa femme, Lady Emily, ne vaut pas mieux que lui. Elle est encore plus glaciale. Il paraît qu'elle est capable d'envoûter les gens. Moi, je n'ai jamais osé la regarder en face.

– Et Geffrey le Mauvais? interrogea Higgins. Ne provoque-t-il pas chez vous quelque effroi?

– Il n'est jamais venu a la chapelle et je ne suis jamais allé à Evillodge. Je suis certain qu'il tuerait

quiconque mettrait le pied sur ses terres. Personne
ne sait ce qu'il pense.

- Evillodge ne lui appartient pas, objecta Higgins.

Bien sûr que si. Inspecteur... Les propriétaires ne sont que des marionnettes. C'est Geffrey
qui tire les ficelles. Ne vous approchez pas trop
près de ce type-là et ne l'importunez pas. Il
reagirait violemment.

Merci du conseil, monsieur Grant. Votre
existence n'est pas facile à Druxham. Heureusement, il y a le pasteur...

Oh, celui-là! Il me paye juste pour manger et
ne me porte pas dans son cœur. Mais je lui suis
utile. Alors, il me laisse tranquille.

Higgins prit sa voix la plus paternelle.

— N'avez-vous jamais été amoureux, monsieur
Grant?

Le sonneur de cloches rougit de nouveau
jusqu'aux oreilles.

Non, pas ici... Je veux dire, pas d'une femme
d'ici...

- Voulez-vous parler de Bettina Laxter?

Le silence fut éloquent.

- Amoureux, dit-il enfin, ça ne veut rien dire.
Des femmes comme elle, il n'y en a jamais eu au
village... Je ne l'ai pas vue souvent mais à chaque
fois, j'ai été ebloui... Pas vous?

Elle est tres belle, reconnut Higgins. Je
reviendrai vous voir monsieur Grant.

— N'oubliez-pas votre whisky.

- Soyez sans crainte.

Pensif Higgins reprit le chemin vers *The
Slaughterers*. Le sonneur de cloches lui avait
confié quelques verites. Il s'arreta à la sortie de
Druxham pour les noter sur son carnet noir. Mais
Mitchell Grant lui avait menti sur le point princi-

pal. Aussi serait-il oblige de l'interroger a nouveau et de lui faire avouer un fait majeur susceptible d'éclairer toute l'affaire.

Levant les yeux vers la colline sur laquelle se dressait le château des Waking, l'ex-inspecteur-chef vit. pour la seconde fois, un moine de haute taille, vêtu d'une robe noire, s'enfuir à toutes jambes.

A vingt et une heures et deux minutes, Higgins franchit le seuil de son cottage. A peine avait-il ôté son imperméable que le superintendant Marlow se précipita vers lui.

– Higgins! Mais où étiez-vous donc passé?

– A Druxham.

– Avez-vous arrêté quelqu'un?

– Je vous en laisse le soin, mon cher Marlow. Y aurait-il un élément nouveau?

A voir le visage rougeaud du superintendant, il était aisé de comprendre qu'un fait essentiel venait de se produire.

– Le labo m'a appele... Les resultats sont formels. Jason Laxter a ete étranglé avant d'être pendu. Les marques sont tout a fait différentes. Le propriétaire terrien a ete assassiné dans la nuit de vendredi, entre minuit et deux heures du matin. Par conséquent, nous savons déjà que le coupable n'est pas une femme.

Higgins hocha la tête, désapprobateur.

– J'ai cru longtemps qu'une femme n'avait pas la force de commettre ce type de meurtre, expliqua-t-il. Mais en une occasion. une seule. j'ai dû reconnaître que je me trompais. Je vous raconterai un jour cette affaire si le temps nous prête vie.

Dans le cas qui nous occupe, il faut peut-être envisager cette solution.

Scott Marlow semblait très embarrassé.

Désolé de vous contredire, Higgins, mais ma conviction est faite. Le pasteur Roger Wood a signé son crime en plaçant sa bible personnelle dans la poche du mort. J'ai l'intention de me rendre dès ce soir à Druxham et de lui signifier son arrestation.

Higgins se chauffa les mains au feu pétillant qui brûlait dans sa vaste cheminée.

J'ai l'impression que c'est une erreur, mon cher Marlow. Je ne nie pas l'importance de l'indice mais rien ne prouve qu'il faille l'interpréter d'une manière aussi radicale. Avez-vous un mobile?

Pas encore, répondit Scott Marlow, renfrogne. Le pasteur sera obligé d'avouer Il nous expliquera lui-même les raisons de son geste. Partons immédiatement. Il est temps de mettre un terme a cette enquête.

Scott Marlow ne pouvait révéler a Higgins qu'il ne supportait plus l'air de la campagne. Il se fiait a son instinct de policier experimenté. Bien qu'il reconnut intérieurement que sa thèse reposait sur une argumentation des plus fragiles il esperait néanmoins avoir frappé juste. Et ce pasteur l'irritait au plus haut point. Une bonne trayeur lui serait des plus salutaires.

Higgins ne protesta pas. Même si l'intervention de son collègue lui paraissait pour le moins intempestive, il n'était pas mécontent de lui voir donner un coup de pied dans la fourmilière. La mise en accusation formelle de Roger Wood déclencherait probablement de fort interessantes réactions.

*
**

Scott Marlow claqua la porte de sa Bentley et marcha d'une allure martiale vers la porte de la maison du pasteur, située tout près de la chapelle. Il frappa d'un poing nerveux.

— Scotland Yard. Veuillez ouvrir.

N'obtenant pas de réponse, il s'acharna.

— A mon sens, avança Higgins, le pasteur doit encore se trouver dans sa chapelle.

— A cette heure-ci ?

— Il n'y a pas d'heure pour Dieu, mon cher Marlow.

— Admettons. Allons-y.

Roger Wood, avec une belle énergie, ponçait des pierres du mur du fond. Il ne cacha pas sa surprise à la vue des deux policiers.

— En quoi puis-je vous être utile, Messieurs ?

— Nous venons d'obtenir la preuve que Jason Laxter a été assassiné, déclara Scott Marlow, impérieux. Mon intime conviction est établie. C'est pourquoi je vous accuse de ce crime. Où étiez-vous vendredi à minuit ?

La figure joviale du pasteur se transforma en masque de désespoir. Le poids du ciel tomba sur ses épaules.

— Moi, un criminel... C'est... C'est une ignominie ! Vendredi à minuit, j'étais ici, dans ma chapelle !

— Comment expliquez-vous la présence de votre bible personnelle dans la poche du mort ?

La voix de Roger Wood tremblait.

— Je... J'en suis incapable ! Je vous ai dit qu'on me l'avait volée... C'est un complot... Je suis un homme de Dieu, Inspecteur, je n'ai pas le droit de

porter la main contre mon prochain... Vous rendez-vous compte... Ma reputation...

- Je me rends compte, dit Scott Marlow que
n'ebranlaient pas les dénégations du pasteur.
Etant donné les circonstances un peu spéciales de
cette interpellation, je vous ordonne de rester dans
cette chapelle et de m'en donner la clé. Nous vous
enfermons ici jusqu'à nouvel ordre. Higgins,
auriez-vous l'amabilité de constater qu'il n'y a pas
d'autre ouverture?

L'ex-inspecteur-chef s'acquitta volontiers de sa
tâche. Les fenêtres de la chapelle étaient trop
hautes pour permettre a Roger Wood de s'enfuir.
Il n'y avait aucune échelle dans la petite pièce ou
le pasteur entreposait ses ornements religieux. Le
passage reliant la chapelle a la tour du clocher
avait été muré. Le lieu saint se transformait en
prison tout à fait convenable.

Cette vérification est inutile, affirma Roger
Wood, essayant de retrouver un semblant de
dignité. Je suis innocent et je n'ai pas l'intention
de m'enfuir.

Nous verrons ça plus tard, déclara Scott
Marlow. Vous feriez mieux d'avouer dès maintenant. Cela gagnerait un temps précieux. Pourquoi
avez-vous tué Jason Laxter?

Pourquoi me persécutez-vous ainsi. Inspecteur? Vous aurais-je offense de quelque manière?

Vous avez tort de jouer au plus malin avec
moi. Vous partez battu d'avance.

Le superintendant était fort déçu. Il avait mise
sur la fragilite evidente du pasteur, escomptant
une confession rapide et complete. Le doute commençait à s'insinuer dans son esprit. Et si son
instinct l'avait trompe? S'il s'était embourbe dans
un mauvais chemin? Heureusement, il avait Hig-

gins à ses côtes. Il comptait sur l'ex-inspecteur-
chef pour le tirer de ce mauvais pas.

Ne bougez-pas d'ici. ordonna-t-il au pasteur.

Celui-ci s'etait mure dans un silence hostile.

CHAPITRE XI

Dix heures sonnaient au clocher de Druxham lorsque l'ex-inspecteur-chef et le superintendant descendirent de la Bentley pour emprunter le chemin boueux menant à Evillodge. Higgins avait patiemment attendu que Scott Marlow terminât le copieux breakfast servi par Mary qui s'était surpassée dans la préparation des œufs au bacon et des petits pois à la menthe.

Le superintendant avançait avec circonspection, évitant les fondrières qui s'étaient remplies d'eau pendant la nuit.

Nous n'allons quand même pas avertir tous les habitants de Druxham de l'arrestation de ce pasteur, grommela-t-il.

Quelques uns méritent de l'être, estima Higgins. Ils pourraient nous fournir des indices prouvant la culpabilité de Roger Wood.

Dans cette perspective...

Les deux policiers croisèrent Sam le cochon qui considéra le superintendant d'un œil terne et poursuivit sa route, dédaigneux.

Higgins ne vit pas Geffrey le Mauvais. Sans doute travaillait-il dans le champ situé derrière le corps de logis.

Bettina Laxter ouvrit très vite la porte, comme si elle attendait une visite. La jeune femme était vêtue d'un ensemble rouge d'une rare élégance qui mettait en valeur son teint clair et ses cheveux blonds. Higgins la trouva plus rayonnante que lors de leur première rencontre.

Navré de vous importuner à nouveau, madame Laxter, mais nous avons une grave nouvelle à vous communiquer.

– Une grave nouvelle... Je ne comprends pas...

· Elle concerne votre mari, expliqua Higgins. Les résultats de l'autopsie prouvent qu'il a été assassiné.

– Assassiné... Mais qui...

– Nous croyons connaître le coupable, avança Scott Marlow. Le pasteur Roger Wood.

– Le pasteur...

Bettina Laxter regarda le superintendant comme s'il s'agissait d'un être bizarre venu d'une autre planète. Puis son regard devint vide, ses membres s'amollirent et elle s'évanouit, tombant dans les bras de Higgins, qui intervint juste à temps pour l'empêcher de s'écrouler sur le sol.

Aidez-moi, demanda-t-il à son collègue. Portons-la à l'intérieur.

Embarrassé, Scott Marlow ne se montra guère utile. Higgins eut assez de force pour amener la jeune femme jusqu'à un fauteuil confortable. Il prit un flacon de parfum sur la coiffeuse et en fit respirer quelques gouttes à Bettina Laxter.

Celle-ci revint rapidement à elle, mais son regard demeura dans le vague.

Inspecteur... C'est vous...

– Vous êtes en sécurité, madame Laxter, assura Higgins.

– Vous parliez... d'un assassinat?

– C'est bien exact. Nos soupçons se sont portés sur la personne du pasteur. Rassemblez vos souvenirs, je vous prie. Le moindre d'entre eux pourrait nous être utile.

Bettina Laxter prit le flacon de parfum entre ses mains.

Pardonnez-moi... J'ai été stupide. Je devrais être plus forte. Jason ne serait pas fier de moi. Le pasteur... Non, je n'ai aucun souvenir à son propos... Cet homme m'était indifférent. Mais... Pourquoi a-t-il tué mon mari? Pourquoi?

La voix de Bettina Laxter était devenue véhémente.

– Il ne l'a pas encore avoué, reconnut Scott Marlow. C'est pourquoi nous avons besoin de votre aide.

– Je vous l'accorderais volontiers... Mais je ne sais rien, rien du tout... Je ne suis pas croyante et je ne suis jamais allée à la chapelle... Lorsque je suis descendue au village, j'ai croisé le pasteur. Il m'a regardée d'une drôle de façon, c'est vrai, comme s'il me reprochait de ne pas partager sa croyance.

Vous a-t-il menacée?

– Pas du tout... C'était une simple impression, rien de plus.

Désirez-vous boire quelque chose? demanda Higgins.

Je veux bien... Il y a du rhum dans l'armoire.

L'ex-inspecteur-chef servit un verre d'alcool à la jeune femme qui reprit des couleurs.

Votre mari a été étranglé, rappela l'ex-inspecteur-chef. Mais il reste beaucoup de points obscurs...

– Lesquels?

– Vendredi soir, où se trouvait votre mari?

– Ici, bien sûr... Enfin, je crois.

– Qu'est-ce qui motive votre réserve?

– Eh bien... Je n'étais pas chez moi.

– Où étiez-vous?

Bettina Laxter hésita longuement, comme si les paroles qu'elle allait prononcer revêtaient une importance extrême.

· Je me trouvais chez Lord et Lady Waking. Ils m'avaient invitée à dîner.

– A quelle heure êtes-vous rentrée?

– Tard, je pense... Je n'ai pas fait attention.

– Votre mari était-il déjà couché?

– Non... Il se couchait toujours très tard, bien après moi.

– Vous ne l'avez donc pas vu ce soir-là?

– Non. Je me suis endormie très vite. Il devait travailler dans son atelier.

– A quel moment avez-vous vu votre mari pour la dernière fois?

·· Vendredi midi, a déjeuner. Puis il est parti travailler... Si j'avais pu prévoir...

Bettina Laxter éclata en sanglots.

Higgins avait l'art de marcher à une allure incroyablement vive sur le chemin presque impraticable descendant d'Evillodge vers le centre de Druxham. On aurait dit un chat jouant au funambule sur une gouttière irrégulière. Scott Marlow éprouvait la plus grande peine à le suivre.

·· Pourquoi avez-vous tourmenté ainsi cette malheureuse? demanda-t-il. Il est évident qu'elle ne sait rien de près ou de loin a l'assassinat de son mari?

Pour toute reponse, Higgins se contenta de presser le pas. Par bonheur pour le superintendant, il n'était pas loin de son but : la maison de l'institutrice-infirmière, Agatha Herald.

A onze heures et cinq minutes, ce mardi matin, la coquette demoiselle remplissait la première de ses fonctions, donnant un cours d'histoire à deux garçons et une fille. Higgins et Marlow attendirent à la porte de l'école qu'Agatha Herald mît un terme provisoire à la Guerre des Deux Roses.

Les gamins sortirent en courant, bousculant le superintendant au passage.

Je suis désolée, s'excusa l'institutrice. Je ne parviens pas a leur inculquer les bonnes manières.

Agatha Herald invita les deux policiers à entrer dans sa petite maison d'où toute trace de poussière était absente. Elle leur offrit une tisane de serpolet que le superintendant apprécia avec modération. Higgins la laissa virevolter dans son domaine, sentant qu'elle ne répondrait à aucune question tant que son cérémonial n'aurait pas été achevé.

Lorsque l'institutrice consentit enfin à s'asseoir, Higgins lui apprit que Jason Laxter avait été assassiné. Elle ne manifesta aucune surprise.

- Je le savais, Inspecteur. Je vous l'avais dit. Jason Laxter n'était pas homme a se suicider.

Une lueur d'intérêt alluma le regard d'Agatha Herald.

- Avez-vous arrêté le coupable?

- Nous avons un suspect, indiqua le superintendant.

- Qui donc?

- Le pasteur, Roger Wood. Nous lui avons demandé de ne pas quitter la chapelle.

L'institutrice se leva, rangea deux plumeaux qui ne devaient pas être à leur place, fit bouillir de l'eau et revint auprès de ses hôtes.

- Ça m'étonne et ça ne m'étonne pas, indiqua-t-elle, soucieuse. Jason avait de l'estime pour notre pasteur, bien qu'il fût éloigné des choses de la religion. Il n'y a jamais eu entre eux la moindre altercation. J'ai aussitôt accusé Roger Wood, je le reconnais mais c'était sur le coup de la colère. Depuis, j'ai réfléchi. Je n'ai rien de précis à lui reprocher. C'est un homme du passé, attaché à des croyances obscurantistes, mais il aime le village. Et quel intérêt aurait-il à tuer Jason Laxter? Je n'en dirais pas autant des châtelains... Pour eux, Jason représentait un véritable danger. Bientôt, il aurait contesté leur suprématie.

Ne deviez-vous pas conclure une sorte d'alliance avec M. Laxter et le pasteur?

Ils ont essayé de me circonvenir, en effet, mais leurs propositions m'ont paru inacceptables. Je ne cautionnerai pas un enseignement baptiste qui empêchera l'âme des enfants de s'épanouir.

Le pasteur et M. Laxter paraissaient-ils s'entendre?

L'institutrice cacha mal sa déception.

- C'est vrai, ils étaient tombés d'accord sur une politique commune... A mon avis, M. Laxter commettait une erreur redoutable. Il aurait mieux fait de m'écouter. Pactiser avec la religion, c'est se condamner à être bientôt converti.

- Roger Wood ne cachait pas sa satisfaction, je suppose?

Il restait prudent. D'abord parce que M. Laxter ne lui avait donné qu'un accord de principe, ensuite parce qu'ils ne pourraient d'aucune façon modifier l'éducation à Druxham sans ma collaboration active. Or, ils venaient de comprendre qu'elle leur était définitivement refusée.

Très digne dans son corsage blanc et sa jupe noire, l'institutrice affichait ses convictions avec une assurance qui impressionna favorablement Scott Marlow. Une femme de cette trempe ne devait pas boire que des tisanes.

– Vos rapports avec le pasteur ont-ils toujours éte aussi mauvais? demanda Higgins.

– Toujours, répondit-elle. Je suis mal á l'aise en sa présence. Lui aussi, je crois.

– Ni vous ni M. Laxter n'étiez impressionnés par l'au-delà.

– L'ici-bas me suffit.

Agatha Herald proposa une nouvelle tasse de tisane aux hommes du Yard. Higgins, qui connaissait depuis longtemps les vertus du serpolet, accepta avec plaisir. Le superintendant tenta d'opposer un refus poli qui n'empêcha pas l'infirmière de le resservir.

– Je suis inquiète pour l'avenir de Druxham, confessa-t-elle. Le seul homme courageux de notre petite communaute a été assassine par un lâche, et il ne nous reste qu'un couple de vieillards séniles pour présider aux destinées du village.

– Reconnaissez cependant, intervint Scott Marlow, qu'ils sont dans l'incapacité physique d'avoir commis ce crime.

– Détrompez-vous. Ils ont une vigueur insoupçonnée. A deux, ils ont pu attirer Jason Laxter dans un guet-apens. Le malheureux avait une formidable énergie mais peu de force. Et puis un meurtrier a l'avantage de la surprise, n'est-il pas vrai?

– Il en est souvent ainsi, conceda Higgins, qui prenait de nombreuses notes sur son carnet noir.

La pointe de son crayon commençait à s'emousser. Il lui faudrait bientôt le tailler avec soin. C'était l'indice du degré de complexite de l'enquête dont les fils s'enchevêtraient davantage à

chaque nouvel interrogatoire. L'univers de Druxham était décidément des plus inquiétants.

— Où vous trouviez-vous vendredi soir ? demanda Higgins avec un bon sourire.

— J'ai tellement d'activités, ici... Laissez-moi
rassembler mes souvenirs. Peut-être à l'école... Ah
oui, c'est cela... J'ai corrigé des copies. Toutes
détestables d'ailleurs.

— Etiez-vous seule ?

— Bien sûr, Inspecteur ! Je n'ai besoin de personne pour m'aider à faire mon travail !

— A quelle activité avez-vous consacré votre
samedi ?

L'institutrice hésita à répondre.

— A la récolte des herbes et des champignons,
comme chaque samedi d'automne. Tout le monde
le sait, à Druxham.

Agatha Herald écarta légèrement les rideaux.
La rue principale du village était vide.

— Vous vous promenez seule, dans les bois ?
s'étonna Scott Marlow.

— C'est une vieille habitude dont je me porte
fort bien. Les longues marches sont indispensables
pour une bonne circulation.

— Vous connaissez donc parfaitement la forêt,
constata Higgins. Jusqu'où êtes-vous allée, ce
matin-là ?

— Je ne me souviens plus... Mes pas m'ont
portée au hasard, comme d'habitude. Je n'ai
jamais de but précis. Ce qui compte, c'est l'exercice.

Scott Marlow sentit peser sur lui un regard
inquisiteur.

— N'avez-vous rien remarqué d'insolite pendant
votre promenade, mademoiselle Herald ?

— Non... vraiment rien. Allez-vous vraiment
arrêter Roger Wood ?

– Scotland Yard fera son devoir jusqu'au bout, déclara Scott Marlow.

**
*

Scott Marlow ressentit les premiers tiraillements d'un estomac qui criait famine. Il n'osa cependant se confier à Higgins. Lorsque ce dernier travaillait à une enquête, il devenait presque inaccessible à tout sentiment humain. Par chance, sa prochaine étape n'était guère eloignée de la maison de l'institutrice, puisqu'il s'agissait de celle du forgeron.

Le superintendant regrettait amerement d'avoir glissé le doigt dans l'engrenage. A l'heure où la police moderne disposait de tous les outils scientifiques pour resoudre en moins d'une heure une affaire comme celle-ci, comment pouvait-on perdre autant de temps sur le terrain? Mais il fallait ramener Higgins à Londres pour la remise des médailles, ce qui contraignait Scott Marlow a accepter les méthodes surannées de son collègue.

Les deux hommes passèrent entre les roues de charrettes et les débris de ferrailles. Le forgeron chantait a tue-tête une ritournelle égrillarde dont les paroles pouvaient choquer les oreilles les plus aguerries. Higgins ecarta avec douceur une branche de rosier qui masquait l'entrée de la demeure.

Le forgeron était attablé devant un poulet de grain et une pinte de bière. L'odeur flatta les narines du superintendant.

– Scotland Yard est de retour! plaisanta Thomas Lingham. Encore une bonne nouvelle?

– Le pasteur Wood est soupçonné d'avoir assassiné Jason Laxter, indiqua Higgins, sévère.

– Sans blague... Un inutile en tuant un autre...

Si les rats se mangent entre eux, ce village va devenir un paradis! Vous boirez bien une pinte avec moi?

- Je crains que non, monsieur Lingham. Nous devons conserver toute notre lucidité pour la suite de l'enquête.

Scott Marlow déplora la rigidité de Higgins. En quoi un peu de bière aurait-il modifié la recherche de la vérité?

- Vous m'excuserez si je continue à manger, dit le forgeron. J'ai horreur du poulet froid.

L'intérieur de la maison du forgeron était plus que rustique.

Rien que des meubles grossiers, lourds, dépourvus de toute élégance, posés sur un sol de terre battue. Thomas Lingham faisait la cuisine sur un vieux fourneau qui menaçait ruine.

- Que pensez-vous de la culpabilité du pasteur? demanda Higgins.

- Wood est un faux-cul, jugea le forgeron. Il ne dit pas ce qu'il pense... S'il pense quelque chose. Il n'est peut-être pas plus croyant que moi mais lui, il réussit à vivre de la croyance des autres. Ce type-là est nuisible. Jetez-le en prison jusqu'à la fin de ses jours. Bon débarras.

- Il y a malheureusement un détail non négligeable, indiqua Higgins. Nous n'avons pas de preuves. Peut-être pourriez-vous nous aider à en trouver?

Le forgeron dévora à belles dents une cuisse de poulet trempée dans un jus savoureux. Scott Marlow se détourna.

- Ça me ferait le plus grand plaisir... Si j'avais vu le pasteur cogner sur Laxter, je témoignerais plutôt deux fois qu'une! Il a été plus astucieux que ça, le bougre. Il a fait son coup en douce.

– Où vous trouviez-vous dans la nuit de vendredi à samedi?

D'un geste aussi violent qu'inattendu, le forgeron repoussa son assiette et se leva. Le colosse fit
saillir sa poitrine aux poils brûlés.

– Que signifie cette question? Vous me soup-
çonnez de quelque chose?

– Soyez aimable de répondre, le pria Higgins.

– Et si je n'en ai pas envie?

– Vous risquez de vous attirer de graves ennuis.
Le superintendant vous le confirmera.

Scott Marlow hocha discrètement la tête. Il ne
manquait pas de courage, mais s'affronter à cette
brute relevait de l'inconscience. Higgins ne perdit
pas son sang-froid et tint tête au forgeron qui,
excédé, frappa du poing sur la table.

J'étais où j'étais. Ça ne regarde que moi et ça
n'a aucun rapport avec le meurtre de cet imbécile
de Laxter.

– Chez vous?

C'est ça, chez moi. A la forge. J'ai travaillé
toute la nuit.

– Avez-vous un témoin?

– Témoin de quoi? J'ai pas l'habitude de m'offrir en spectacle. Arrêtez d'ennuyer les honnêtes
gens, Inspecteur. Vous avez votre coupable, gar-
dez-le. Et maintenant, decampez. Vous me coupez
l'appétit.

– Vous m'en voyez désolé, monsieur Lingham.
Si des détails significatifs vous reviennent en
mémoire, n'hésitez pas à me les signaler.

– Ça m'étonnerait... La mémoire n'est pas mon
fort. Les souvenirs ne résistent pas au feu.

CHAPITRE XII

Scott Marlow se plaignant de brutales et insupportables douleurs au ventre. Higgins lui conseilla de rentrer au cottage et de s'allonger avec une bouillotte sur l'estomac

« La tisane de serpolet, pensa l'ex-inspecteur-chef a dù declencher une reaction saine. mais spasmodique. dans un organisme délabre par l'air pollue de la capitale. » Il fut convenu que le superintendant reviendrait chercher son collegue a Druxham vers dix-huit heures trente.

Higgins avait un apres-midi charge. Les habitants du village ayant une maitrise évidente dans l'art du sous-entendu. sa tâche devenait de plus en plus delicate. C'est pourquoi. desireux de verifier un certain nombre d'hypotheses qui se faisaient jour dans son esprit. il traversa la rue principale du village et s'engagea sur le chemin montant vers le chateau des Waking. Au sommet de la voie d'acces empierree apparut le bouledogue. Il aboya a trois reprises et courut vers Higgins en fretillant de la queue. L'ex-inspecteur-chef lui caressa le sommet du crâne. Se dressant sur ses pattes arriere et prenant appui sur la poitrine de Higgins.

le chien lui lécha la joue droite puis retourna se coucher dans sa niche.

Sur la gauche du château, le vieux domestique au tablier brun ratissait avec peine une allée parsemée de mauvaises herbes.

Lord Waking pourrait-il me recevoir? demanda Higgins.

Sa Seigneurie accomplit sa promenade hebdomadaire.

– Dans quelle direction?

– Toujours la même. La forêt, là-bas. Il est parti voici une dizaine de minutes.

Merci, mon ami. J'ai donc une chance de le rejoindre.

L'ex-inspecteur-chef suivit un sentier conduisant à un endroit qu'il commençait à bien connaître : celui menant à la clairière ou se dressait le chêne appelé : « le Juge éternel ». Marchant vite, Higgins mit plus de temps qu'il ne le pensait à apercevoir la silhouette de Lord Graham Waking qui, pour un homme de son âge, avançait d'un bon pas. Il fit craquer plusieurs branches mortes de sorte que l'aristocrate s'aperçût de sa présence.

Lord Waking se retourna et s'arrêta.

Quelle surprise, Inspecteur! Voilà bien des années que personne ne m'accompagne plus dans ces solitudes. Le chien et mon épouse préfèrent la sieste. Pas vous, apparemment.

C'est une pratique que j'approuve, précisa Higgins, mais une enquête a parfois des exigences qui contrarient nos habitudes. Vous rendiez-vous en pèlerinage à l'endroit ou le malheureux M. Laxter a été retrouvé pendu?

– Pas le moins du monde, je marchais au hasard.

– J'ai eu de la chance de vous retrouver.

— Etait-ce si urgent?

— Le Yard a obtenu la certitude que Jason Laxter a été assassiné. J'ai pensé que vous souhaiteriez l'apprendre sans délai

Le châtelain, contrarié, s'appuya sur sa canne dont l'extrémité s'enfonça profondément dans la terre humide.

— Diable... C'est une affreuse nouvelle, en effet. Jamais le moindre crime n'avait été commis a Druxham... J'espere que le Yard identifiera rapidement l'assassin et qu'aucune publicité n'entourera ce deplorable incident.

— Certains soupçons pèsent sur le pasteur Roger Wood.

Lord Graham Waking entra dans une colere sèche.

— C'est completement ridicule! Je vous ai explique qu'il y avait deux autorites au village. la mienne et celle du pasteur. Nous sommes les garants de l'ordre établi. Sous aucun prétexte. nous n'avons le droit de le detruire! Je vous ordonne d'abandonner ces soupçons infâmants.

Ce qui signifie que vous n'avez aucun element de témoignage sur la culpabilite de Roger Wood...

Le nez pointu de Lord Waking parut s'allonger. Sa voix rauque trembla de rage.

— Ne vous moquez pas de moi, Inspecteur. Il pourrait vous en cuire.

— Ce sont les risques du metier. Où vous trouviez-vous dans la nuit de vendredi a samedi?

— Pardon? Vous osez m'interroger. moi?

— Je le crains. Votre Seigneurie. Des reponses précises m'honoreraient.

Ah! Quelle époque... Quelle decadence... Dans la nuit de vendredi a samedi, Inspecteur. je me trouvais au château, en compagnie de ma

femme. Mon domestique pourra vous le confir-
mer.

– Vous aviez dîné avec Mme Laxter, si je ne
m'abuse?

Lord Waking fronça les sourcils.

Vous vous abusez, en effet. Lady Waking et
moi-même dînions en tête à tête. Qui vous a
donné cette fausse information?

– Peu importe. Samedi matin, êtes-vous sorti
du château? Pour une promenade en forêt, par
exemple.

En forêt, non. Dans mon parc, oui. Et ne
posez pas ces questions inutiles à Lady Waking.
Elle ne quitte plus sa chambre depuis deux ans.

La musique des cloches résonna dans l'air
léger.

Nous avons un bon sonneur, remarqua Lord
Waking. Un garçon bizarre, paraît-il, mais un
excellent professionnel. C'est tout ce qu'on lui
demande.

– Avez-vous eu l'occasion de vous entretenir
avec lui?

Vous plaisantez, Inspecteur? Hâtez-vous de
disculper le pasteur et d'arrêter l'assassin. La
bonne réputation du village est à ce prix. Penchez-
vous plutôt sur le cas du forgeron.

Une dizaine d'hirondelles, quittant l'Angleterre
pour l'Afrique, s'élancèrent dans le ciel nuageux à
tire-d'aile. Elles saluèrent d'un dernier cri joyeux
le pays où elles s'étaient si longuement attardées,
bénéficiant d'un automne très doux. Higgins les
suivit des yeux.

Elles lui rappelaient les grands voyages de son
adolescence.

– Thomas Lingham est un être violent et
borné, continua Lord Waking. Il a refusé de
travailler pour moi. C'est un moins que rien.

– A-t-il menace d'attenter aux jours de Jason Laxter?

– Comment voulez-vous que je le sache? Je ne m'occupe pas des dissenssions entre petites gens. Ce Laxter n'était pas des nôtres, ne l'oubliez pas. Arrangez-vous pour que le crime ait été commis sur une autre commune. Ce n'est tout de même pas un utopiste qui va ruiner une réputation vieille de plusieurs siecles! Quand ce sera fait, prévenez-moi. Je ne serai pas ingrat. Je vous offrirai un buste de mon epouse.

– Je crains que ce ne soit insuffisant. déplora Higgins.

Lord Waking, repartant d'un bon pas. rebroussa chemin.

– Quelle epoque... Les vraies valeurs sont en train de disparaître mais moi, je tiendrai bon! Ils croient tous que la noblesse c'est fini, qu'il n'y a que le progrès! Les imbeciles... Qu'ils meurent tous! Ce n'est pas moi qui les plaindrai.

– Classez-vous Geffrey le Mauvais dans cette catégorie?

– L'ouvrier agricole d'Evillodge? Nous ne nous occupons pas de ces gens-la, Inspecteur. Ils sont dans leur monde et ils y restent.

– Votre épouse partage-t-elle vos vues?

– Quelle étrange question... Bien sûr que oui! Elle a un tempérament un peu... mystique mais elle illustre parfaitement son rang. Je n'ai pas a me plaindre d'elle.

– Croyez-moi. je deplore profondement le sort funeste qui accable Druxham, dit Higgins avec conviction. Si vous me prêtez main-forte, nous devrions parvenir a identifier rapidement l'assassin.

– C'est mon souhait le plus vif. Inspecteur. Malheureusement. je ne dispose d'aucune information... C'est le lot de nous autres, châtelains. Nous ne devons pas nous préoccuper des details du quotidien.

- Ce crime ne vous paraît-il pas en sortir?

Le vieux Lord ne répondit pas. A la maniere dont il martelait le sol avec sa canne, il etait facile de deviner à quel point la situation le preoccupait.

Higgins, qui ne posa plus aucune question, fut obligé d'accepter une invitation au château. Par bonheur, il etait trop tôt pour le the. Comment l'ex-inspecteur-chef eut-il avoue a un Lord qu'il etait le seul Anglais de pure souche a detester le the? Un verre d'Aberlour Glenlivet remplaça avantageusement la sacro-sainte boisson. Pendant que le domestique servait Higgins, Lord Waking s'absenta. Lorsqu'il reapparut dans son salon, il etait impeccable de la tête aux pieds, tel un colonel de l'armée des Indes offrant une reception avant la bataille.

- Veuillez excuser Lady Waking, Inspecteur. Elle est très fatiguee. Je lui ai neanmoins glisse un mot. Elle est parfaitement d'accord avec moi : liberez le pasteur et trouvez le coupable.

- Je n'y manquerai pas, assura Higgins.

De gros nuages noirs s'etaient accumulés au-dessus de Druxham, reduisant de maniere considerable la visibilite. En descendant du château, Higgins eut l'impression curieuse d'être suivi. Pourtant, il ne se retourna pas. Sans avoir d'yeux dans le dos, il avait une idee assez precise sur l'identite de l'individu qui l'avait pris en filature. Son travail methodique commençait a produire des resultats interessants.

Le chemin defonce menant à Evillodge nécessi-

tait un certain sens de l'équilibre. Higgins marcha
le plus souvent sur des bordures pour éviter les
trous profonds ou l'on devait aisément se fouler
une cheville. Couché dans la boue de la cour
principale, Sam le cochon le regarda venir. L'ex-
inspecteur-chef passa devant lui. Les rideaux du
premier étage étaient fermes. Ou bien Bettina
Laxter dormait. ou bien elle était absente. Higgins
avait une autre visite a faire.

Il traversa un champ en grande partie inondé,
contourna une haie de troènes roussis et s'aven-
tura sur un terrain en pente occupé par des
moutons. Au milieu d eux, Geffrey le Mauvais
béchait. La casquette enfoncée sur la tète. la pipe
en bouche. il cessa de travailler a l'approche de
l'ex-inspecteur-chef. Il portait son eternel pantalon bleu et son inusable veste de laine rapiècee.

– Vous visitez le domaine, Inspecteur ? La terre
n'est pas facile en ce moment. Le soleil ne par-
vient plus à la secher. On jurerait que l'eau monte
des profondeurs de la terre.

En s'avançant. Higgins eut soudain la desagrea-
ble surprise d'ètre immobilise. Son pied droit etait
aspire par la glaise. Il dut se pencher et se degager
avec les mains pour ne pas perdre sa chaussure.

Geffrey le Mauvais avait un rictus de satisfaction.

– Je vous avais prevenu. Inspecteur. Il n'y a
que moi pour apprivoiser cette terre-la et la
travailler... Aucune machine n'y parviendra.
J'avais pourtant averti Laxter... Il aurait dù
m'ecouter.

– Jason Laxter a eté assassine. dit l'ex-inspecteur-chef. achevant de sortir son pied de la
glaise.

– Bah... assassine ou pas. il est mort. Evillodge
l'a tue.

– Je n'en suis pas aussi sûr que vous. Une intervention humaine n'est pas à exclure.

Higgins ne bougeait plus, de crainte de s'embourber à nouveau.

Geffrey le Mauvais, appuyé sur sa bêche, gardait une immobilité minérale. Sous le ciel noir, les deux hommes formaient un tableau plutôt sinistre, évoquant un combat sans violence apparente dont l'issue demeurait incertaine.

– Si vous avez quelque chose d'autre à me dire, exigea Geffrey le Mauvais, allez-y. J'aimerais finir mon travail avant la pluie.

Higgins ne voyait pas de quel travail il pouvait s'agir. Bêcher le champ en pente réclamerait plusieurs semaines. Mais les lois auxquelles obéissait Geffrey le Mauvais n'étaient connues que de lui seul.

– Que faisiez-vous vendredi soir? demanda l'ex-inspecteur-chef.

Je dormais dans ma cabane. Je me suis levé à six heures et je suis venu ici.

Sortant d'une haie à moitié pourrie, une superbe vache, une Jersey, progressa de son pas lent vers l'ouvrier agricole.

– C'est la seule qui ne soit pas morte au bout d'une semaine, expliqua-t-il. Elle ne donne pas de lait, mais je la garde quand même.

Une bourrasque fit vaciller Higgins. Geffrey le Mauvais semblait avoir la résistance d'un bloc de granit.

– Ce sont les vieux châtelains qui ont tué Laxter. Ce sont des exploiteurs, des êtres ignobles et cruels. Ils n'aiment pas ce village, ils veulent simplement en rester les maîtres. Laxter était dangereux pour eux. Ils n'ont pas attendu longtemps pour le supprimer. Moi, je les ai prévenus.

S'ils mettent les pieds à Evillodge, je leur fracasse la tête à coups de bêche.

– Ce n'est pas sur eux que pèsent les soupçons, indiqua Higgins qui réussissait le prodige de prendre des notes sur son carnet noir, mais sur le pasteur.

La nouvelle n'éveilla aucune réaction visible chez Geffrey le Mauvais.

Ce n'est pas lui, mais ça lui tannera le cuir... Parce que ça sait lire et écrire, ça se croit au-dessus du pauvre monde... Roger Wood n'est pas un homme de Dieu. La Bible, ça ne suffit pas. Il faut aussi avoir du cœur. Il doit faire une drôle de tête... Ça m'amuserait presque de le voir.

– Vous-même, rappela Higgins, avez refusé de vous instruire a l'école.

– Je ne supportais pas cette vieille chouette d'institutrice. Tout ce qu'elle m'a appris, c'est le nom latin des arbres quand elle emmenait la classe se promener dans les bois. J'ai oublié. Son éducation, comme elle dit, ça ne sert qu'aux riches. C'est pour ça qu'ils ne savent rien faire de leurs mains. C'est pour ça que leur monde va s'écrouler. Ce jour-là, avec Thomas, on se payera un bon moment.

– Le forgeron est donc votre ami?

– Si on veut... On s'entend a peu près... En quoi ça vous intéresse?

– J'ai un assassin à identifier. Mieux connaître les éventuels témoins m'est indispensable.

– Témoin? protesta Geffrey le Mauvais. Je ne suis témoin de rien, moi... Vous feriez mieux de vous occuper des personnes qui fréquentaient les châtelains.

– Comme Bettina Laxter, par exemple?

– Une femme comme ça ne peut pas faire une bonne épouse, affirma l'ouvrier agricole, hargneux. Elle ne s'occupe que d'elle-même. Jamais vu une femelle avoir autant de manieres... Qu'elle retourne vite a la ville avec ses meubles et ses oripeaux. Elle deteste la terre. Qui est loin de la terre est proche du diable.

Higgins. qui appreciait le froid et le vent. devait reconnaitre que ceux d'Evillodge avaient une intensité si penetrante qu'elle lui glaçait presque les os. En essayant de vivre ici. alors qu'on n'y était pas ancré depuis plusieurs generations. pouvait-on penser a une autre issue que le suicide? S'il n'y avait pas eu le rapport du laboratoire, l'ex-inspecteur-chef serait peut-être revenu a cette hypothese. Il perçut la puissance magique de ce domaine a nul autre pareil. Elle parvenait presque à troubler ses facultés de raisonnement. Jason Laxter avait engagé une lutte insensee contre un monstre qu'il n'avait aucune chance de vaincre. Mais quel visage ce monstre avait-il pris pour frapper?

Higgins descendit lentement le chemin menant d'Evillodge au village. Il recouvra peu à peu la serénité qu'il avait perdue quelques instants dans la glaise du domaine. face a son etrange genie. Geffrey le Mauvais qui avait ete bàti a l'image de cette terre inhumaine.

Geffrey le Mauvais qui faisait semblant de parler et ne disait rien de ce qu'il savait vraiment... comme les autres. Personne n'etait decide a aider Scotland Yard. Druxham se resserrait sur lui-même. voulant tuer une seconde fois Jason Laxter en empêchant l'arrestation de son assassin.

Alors qu'il atteignait la seule partie à peu pres seche du chemin, Higgins entendit un sifflement.

Une pierre roula à ses pieds.

Non loin de lui, quelqu'un sauta du sommet d'un arbre mort, une fronde à la main et disparut dans la forêt.

Higgins se baissa. Autour de la pierre, un elastique servant a tenir un morceau de papier plié en huit.

Un message destiné a l'ex-inspecteur-chef :

J'ai des choses importantes a vous dire. Personne ne doit savoir. Venez me rejoindre dans ma cachette a la nuit tombée. Mitchell Grant.

CHAPITRE XIII

Higgins ouvrit sans peine la porte de la chapelle. Si le pasteur Roger Wood avait voulu s'enfuir, il n'aurait eu aucune difficulté à mettre son projet à exécution. Mais il était sagement assis sur le banc du fond et lisait la Bible.

Heureux de vous revoir, Inspecteur. Je ne m'ennuie pas ici mais l'absence de fidèles me pèse cruellement. Et je ne parle pas de ma réputation... Que va penser le village?

- Scotland Yard n'a pas encore établi votre culpabilité, conceda Higgins.

- C'est normal, puisque je suis innocent.

- Comptez sur l'honnêteté du superintendant Marlow, monsieur Wood. C'est un policier particulièrement scrupuleux.

- Pourquoi m'avoir accusé de manière aussi péremptoire, en ce cas?

- Sur la foi d'un indice troublant, et de son intime conviction.

- Vous conviendrez que c'est pour le moins dégradant. Je suppose qu'il me faut accepter cela comme une épreuve imposée par Dieu.

- Sans doute, s'avança Higgins. J'espère qu'elle ne vous fera pas perdre votre lucidité. J'aimerais mieux comprendre les convulsions qui déchirent Druxham et vous allez m'aider.

Les larges épaules du pasteur se soulevèrent, consentantes. Malgré sa situation. Roger Wood retrouva un semblant de jovialité. Il passa la main droite sur son crâne chauve. comme pour chasser les soucis qui s'étaient accumulés sur sa tête.

– Si cela peut m'aider aussi...

– Je le crois, estima Higgins.

L'ex-inspecteur-chef. les mains croisées derrière le dos. s'engagea dans l'allée centrale. jetant de temps à autre un regard sur les murs nus de la chapelle.

Il y a un conflit majeur dans ce village, indiqua Higgins. Ou plutôt. il y avait... Car les Waking ont triomphé de Jason Laxter.

Triomphé? Je ne comprends pas... Insinue-riez-vous qu'ils aient songé à... Ça n'a aucun sens. Inspecteur! Lord et Lady Waking incarnent les valeurs éternelles de notre société. Ils sont la morale même. Ils ont des défauts, bien sûr. mais ils préservent l'honneur de Druxham envers et contre tous.

Je ne le nie pas. monsieur le Pasteur... Vous êtes leur confident. N'ont-ils pas évoqué devant vous. d'une manière ou d'une autre. la mort éventuelle de Jason Laxter?

Pas une seule fois. Inspecteur. Nous parlions de l'avenir du village. de l'importance du bon état d'esprit régnant entre ses habitants. Lord et Lady Waking envisageaient leur propre fin avec une admirable sérénité. Pas moi. je l'avoue. Sans eux, que va devenir Druxham?

– Je l'ignore. avoua Higgins. Si vous aviez à désigner l'homme le plus violent du village. quel nom me donneriez-vous?

Le pasteur prit un court temps de réflexion.

– Le forgeron, Thomas Lingham... C'est un être plutôt primitif, aux réactions parfois inquiétantes. On ne sait pas trop ce qui se passe dans sa forge. Certains ont parlé de beuveries, voire d'orgies.

Vous ne vous fréquentez pas beaucoup, je suppose?

– J'ai tenté de lui montrer la voie du Seigneur, voilà bien des années, mais j'ai échoué. Thomas Lingham ne croit qu'au feu de sa forge qu'il compare volontiers à la fournaise du diable. Je lui en ai fait le reproche à plusieurs reprises, sans résultat. Il m'a même menacé de sévices physiques si je continuais à l'ennuyer. Vous savez pourquoi je me tiens prudemment à l'écart de sa route.

Higgins consulta son carnet, soucieux.

Vous êtes bien sûr, monsieur le pasteur, que Lord Waking ne vous a pas parlé d'un complot qu'il aurait organisé pour chasser Jason Laxter du village?

Tout à fait certain, Inspecteur. Je le jure sur la Bible.

Higgins parut fort déçu.

– Tant pis. Je me débrouillerai autrement Soyez aimable de ne pas quitter cette chapelle.

– Cette méditation prolongée ne me coûte pas vraiment, avoua le pasteur. Il y a tant à prier.

Higgins ouvrit la porte du clocher et monta jusqu'au domaine de Mitchell Grant. Comme il le supposait, le sonneur de cloches était absent. Il le chercha vainement aux alentours de la chapelle. Le rouquin devait se cacher dans la forêt, attendant la nuit. L'ex-inspecteur-chef aurait aimé le contacter auparavant, mais il n'en avait pas la possibilité.

Obstiné, il parcourut les bois pendant plus d'une heure, essayant de reperer la cachette de Mitchell Grant. La chance ne lui sourit pas. Il ne debusqua qu'un cerf deux renards et une belette. Rien ne progressait normalement, dans cette enquête, rien ne s'emboitait. Les contretemps s'accumulaient, comme si un mauvais génie s'acharnait a entretenir le mensonge.

Un fait nouveau... Voici ce que le destin aurait dû offrir a Higgins. Un fait nouveau qui aurait dechire le voile d'incertitudes. En attendant l'heure de son rendez-vous avec Mitchell Grant, il fallait continuer a accumuler de menues informations, apparemment sans importance et sans relations entre elles. C'est pourquoi l'ex-inspecteur-chef reprit le chemin d'Evillodge sous une pluie fine et glacée.

La cour était deja un veritable marecage dans lequel il etait dangereux de s'aventurer. Sam le cochon regagnait de son pas lourd un abri accueillant. Higgins observa son parcours qu'il emprunta en partie pour arriver jusqu'au bâtiment central. Il évita ainsi de s'embourber une nouvelle fois.

Les rideaux etaient toujours fermes Bettina Laxter semblait absente. Voulant en avoir le cœur net, Higgins frappa a plusieurs reprises. En vain. Il entra dans la grange et en profita pour l'examiner a fond. Il n'y avait la que des outils, bêches, râteaux, faux, socs de charrue, la plupart recouverts de glaise. Dans des caisses, des clous. Contre le mur, des steres de bois. Les toiles d'araignees etaient innombrables. Personne ne s'etait preoccupe de nettoyer l'endroit depuis bien longtemps. Alors que Higgins soulevait le couvercle d'une caisse contenant de vieux chiffons, une silhouette s'encadra dans l'ouverture de la porte.

Celle de Geffrey le Mauvais, pointant sur l'ex-inspecteur-chef un fusil à canon scié.

- Sortez d'ici, ou je tire.

Higgins se retourna avec une extrême lenteur. Un accident était si vite arrivée.

- Ah, Inspecteur... Je vous avais pris pour un voleur. Vous avez de la chance... D'habitude, j'ai la gâchette facile. Les rôdeurs ne sont pas nombreux dans la région... A Druxham, on s'en debarrasse vite. Les Laxter m'ont confié la sécurité de la maison. On ne plaisante pas avec ces choses-là.

- Baissez-donc le canon de votre fusil, ordonna Higgins assez sèchement.

L'homme du Yard continua sa fouille. Sous les vieux chiffons, il y avait de vieux papiers et sous ceux-ci, d'autres vieux chiffons.

- Où se trouve Mme Laxter?

- A la ville, comme tous les jours. Elle a pris la voiture.

- Où est-elle garée, d'ordinaire?

- Derrière cette grange. C'est une guimbarde, mais elle marche encore.

- Est-ce vous qui vous occupez de son entretien?

- Comme du reste, répondit Geffrey le Mauvais, posant enfin son fusil et allumant sa pipe.

- A quelle heure doit rentrer Mme Laxter?

- Aucune idée. C'est variable. Ça dépend de ce qu'elle trouve dans les magasins.

Higgins déplaça un manche de faux et un escabeau vermoulu, mettant au jour une pile de bibles aux pages jaunies par l'humidité. Il les feuilleta une à une.

- Vous êtes un homme très scrupuleux observa

Higgins. Rien de ce qui se passe ici ne vous échappe. Mme Laxter etait-elle ici, vendredi soir ?

— Probablement, marmonna Geffrey le Mauvais.

— Vous n'en êtes pas certain ?

— Je suis chargé de surveiller la maison. Pas d'espionner ses propriétaires.

— A quelle heure est-elle rentree de la ville ?

•• Je l'ignore. Je m'occupais du cochon.

N'avez-vous pas entendu le bruit du moteur ?

Il y avait beaucoup de vent, ce soir-là.

Higgins attrapa sa troisième bible, plus délabrée que les deux précédentes.

— Vous avez une excellente memoire... Sans doute vous souvenez-vous des faits et gestes accomplis par Jason Laxter, ce soir-là ?

Les mêmes que d'habitude. Il passait beaucoup de temps à l'atelier pour réparer des engins. Du travail inutile, à mon avis. A Evillodge, la machine moderne ne fonctionne pas. La bêche et la pioche, il n'y a que ça de vrai.

A quelle heure Jason Laxter a-t-il quitté Evillodge, vendredi soir ?

Geffrey le Mauvais tira une bouffée malodorante.

· L'heure... L'heure... Vous n'avez que ce mot-la a la bouche... Pour moi, il y a le jour et la nuit. Ça suffit bien comme ça. L'heure, je m'en moque. Quand l'estomac me tire, je sais que c'est le moment de manger. Le reste du temps, je travaille à la terre. Je ne m'occupe pas de l'heure. Je n'ai même pas de montre.

Oublions l'heure, consentit Higgins. Avez-vous vu M. Laxter sortir du domaine ?

— Non. Les patrons sont libres de faire ce qu'ils

veulent. Que d'autres observent leurs allées et
venues, si ça leur chante. Moi, c'est pas mon
genre.

Higgins abandonna les bibles. Celles qui occu-
paient le bas de la pile tombaient en poussière. Il
marcha en direction de l'ouvrier agricole.

- Pour être tout à fait sincère, déclara l'ex-
inspecteur-chef, je ne vous crois pas. Evillodge n'a
aucun secret pour vous. Pourquoi refusez-vous de
me donner des indications précieuses qui feraient
avancer l'enquête?

- Chacun son métier, répondit Geffrey le Mauvais, bourrant le fourreau de sa pipe avec le
pouce, comme s'il était insensible à la chaleur.
Moi, je m'occupe du domaine. Vous, de l'assassin.
C'est bien comme ça. Il n'y a rien à changer.

Higgins jeta un dernier coup d'œil à la grange.
Il n'y avait rien d'important à découvrir ici.
L'endroit sentait l'abandon et la décrépitude.
Dans cent ans, il serait identique à ce qu'il avait
toujours été.

- Votre attitude n'est guère raisonnable, estima
l'ex-inspecteur-chef. En vous taisant, vous aidez
l'assassin.

- Je ne me tais pas, protesta Geffrey le Mauvais. Les Laxter ne m'intéressent pas. Qu'ils soient
morts ou vivants, pour moi, c'est pareil.

- Mme Laxter est encore bien vivante, me
semble-t-il.

- Elle aurait intérêt à quitter le domaine au
plus vite. L'air d'ici est mauvais pour sa santé. A
sa place, je monterais dans ma voiture et je ne
perdrais pas une minute de plus.

- Est-ce une sorte de menace? interrogea Higgins.

- Je n'ai pas besoin de menacer les gens. Evillodge s'en charge à la perfection. Ce ne sont pas

des bourgeois de la ville qui feront la loi sur ces terres.

– Une dernière fois, insista Higgins : à quelle heure Jason Laxter est-il sorti de chez lui?

– Je n'ai rien vu, rien entendu, réaffirma Geffrey le Mauvais. Personne ne pourra prétendre le contraire, croyez-moi.

– Pourquoi donc? Parce que M. Laxter est mort et que Mme Laxter était absente de chez elle, ce soir-là?

Geffrey le Mauvais tourna le dos à Higgins.

– Vous devriez poser une bien meilleure question, conseilla l'ouvrier agricole : chez qui se rendait Jason Laxter, alors que la nuit était d'un noir d'encre?

Lord Graham Waking laissa retomber le rideau. La chambre de son épouse fut de nouveau isolée du monde extérieur.

Cet inspecteur revient-il par ici? demanda-t-elle.

– Non, je n'en ai pas l'impression. Il est parti vers Evillodge.

La vieille Lady, le dos calé par des coussins, demeurait alitée. Elle termina son sixième scone de la journée et tenta de mâcher un morceau de cake.

– Il est immangeable! Tu devrais renvoyer notre cuisinier.

J'y songerai. A nôtre âge, il vaut mieux éviter les pâtisseries.

– Parle pour toi. Moi, je ne prends pas un gramme. J'aimerais bien que tu me rendes mon jeu... Sans lui, je m'ennuie.

– Pas question. Notre domestique est trop lent

et trop stupide pour nous avertir longtemps à l'avance de la venue de cet inspecteur. S'il te surprenait, imagines-tu les conséquences?

Lady Emily Waking devint boudeuse. Certes, elle aimait contempler ses bustes et ses tableaux, se remémorer les heures brillantes de sa jeunesse où le village entier était au service des châtelains. Mais cela ne lui suffisait plus.

Ne pourrions-nous pas déroger à notre règle, mon ami?

Non. Il faut attendre que cet inspecteur ait quitté Druxham. Il fouille partout. Sa curiosité est beaucoup trop vive. Heureusement, Scotland Yard a arrêté le pasteur. J'espère qu'il s'en contentera.

Il est trop bien habillé et trop poli pour un policier, estima Lady Waking. Ne crois-tu pas que c'est un châtelain des environs qui essaie de nous tendre un piège en usant nos nerfs?

Sûrement pas. C'est un inspecteur plus tenace que les autres, voilà tout. Ça ne le rend pas moins redoutable, au contraire.

– Quand partira-t-il?

– Je l'ignore. Il n'a pas l'air d'être totalement convaincu que le pasteur soit son coupable.

Et si tu lui disais la vérité? suggéra Lady Emily. Nous retrouverions notre tranquillité.

– Ce serait plutôt le contraire, ma chère.

– Serais-tu allé... aussi loin?

– Aussi loin que toi.

Agatha Herald referma brusquement son livre de géographie. Elle ne parvenait pas à se concentrer sur sa lecture. Elle avait imaginé autrement une enquête de police : quelques questions banales,

une vérification d'identité, des rapports adminis-
tratifs traînant en longueur... Elle avait simplement oublié que, parfois, le coupable était
arrêté.

Coupable... Ce mot résonnait dans sa tête
comme le glas sonné samedi soir par Mitchell
Grant. Coupable. . Cela signifiait un jugement, la
dégradation, la honte... C'était pis que d'être jeté
en pâture à des fauves. Comme ce malheureux
pasteur devait souffrir! Mais n'était-il pas coupable, lui aussi, de n'avoir pas mis en garde Jason
Laxter, de ne pas lui avoir demandé de quitter
Druxham dès qu'il l'avait vu?

Elle aurait dû parler à Scotland Yard, dire
toute la vérité, avouer... Mais elle n'en avait pas le
courage. Rien ne ferait revivre Jason Laxter, pas
même une confession. Pas même la découverte
d'un monstre, d'une personne étrangère tapie au
fond de soi-même et dont on ne comprenait plus
la raison d'être.

Quand Higgins, trouble par les révélations
implicites que contenaient les paroles de Geffrey
le Mauvais, sortit du sentier pour emprunter à
nouveau la rue principale du village, il ne s'attendait pas à être apostrophé de la manière la plus
véhémente par un Thomas Lingham déchaîné.

Solidement campé sur ses jambes, les poings sur
les hanches, le forgeron barra la route à l'ex-
inspecteur-chef.

Ça ne peut pas continuer comme ça! tonna-
t-il d'une voix si tonitruante que tous les habitants
de Druxham se précipitèrent à leur fenêtre, évitant
toutefois de sortir de leur demeure.

– Quelque chose vous dérangerait-il, monsieur Lingham?

– Moi, rien. Mais mon ami Geffrey le Mauvais, si. Je vous ordonne de cesser de l'importuner. Ce n'est pas un inspecteur de police, lui. Il a du travail. Il est seul pour s'occuper du domaine entier. Vos interrogatoires le dérangent. Il faut que ça cesse. Ici, on n'a pas l'habitude d'être importuné par n'importe qui. Ne croyez pas une seconde que votre petit jeu va continuer.

Le forgeron croisa les bras, tel un chevalier sûr de lui, prêt à affronter le plus gros des dragons.

Higgins, qui n'avait pas livré de duel depuis de longues années, ne voulait pas entamer un combat public. Il s'avança d'un pas tranquille vers le forgeron, interloqué, et le prit par le bras droit.

– Allons jusque chez vous, proposa-t-il.

Thomas Lingham essaya de se dégager. Ce n'était quand même pas ce petit homme à la moustache poivre et sel qui allait le contraindre, lui, un colosse, à céder le passage! Mais une violente douleur au biceps l'obligea à accompagner Higgins.

– Mais... qu'est-ce que vous m'avez fait?

– Trois fois rien, révéla l'ex-inspecteur-chef. J'ai appuyé sur un point sensible. C'est spectaculaire et passager. Nous n'allons quand même pas nous battre sous la pluie?

Le forgeron considéra Higgins d'un œil torve. Cet homme-là avait plus d'une malice dans son sac.

– J'aimerais goûter de nouveau à votre excellente bière, ajouta Higgins.

– Si vous voulez...

Les deux hommes s'installèrent devant la forge. La nuit commençait à tomber. Thomas Lingham servit deux pintes.

– Je dors souvent ici, a côté de mes outils. Ils sont ma vraie famille. Avec eux, jamais d'ennuis. Toujours prêts à servir. On ne peut en dire autant des hommes.

– Sauf de votre ami Geffrey. je suppose.

– C'est pas ça, Inspecteur. Geffrey est le meilleur bougre que je connaisse, mais il a un sale caractère. Forcément, on a tendance à tout lui mettre sur le dos... En vous ayant vu retourner à Evillodge. j'étais presque sûr que vous alliez l'accuser de l'assassinat de Laxter. Geffrey ne se défendra pas. Il faut que quelqu'un le fasse pour lui.

– Voici un remarquable acte de charité, constata Higgins. C'est de plus en plus rare de nos jours.

– Charité... Non. Geffrey est indispensable au village. Sans lui tout irait mal. Très mal.

– Pourquoi?

– Parce qu'il y a le mal a Evillodge. Et que seul Geffrey est capable de le conjurer pour qu'il ne déborde pas sur tout le village.

Higgins manipula un fer a cheval avec circonspection. L'objet était réalisé a la perfection.

– Ce n'est pas tout à fait exact puisque la mort a frappé.

– Jason Laxter n'appartenait pas a Druxham. C'est un réglement de comptes avec les châtelains. Geffrey n'a rien à voir là-dedans. Il est comme moi. Il ne se soumettra jamais à personne.

– Le cœur humain vient parfois contrarier ces belles résolutions, remarqua Higgins. N'avez-vous point connu l'amour. monsieur Lingham?

Le forgeron sursauta.

– L'amour? Moi? Qu'est-ce que ça veut dire?

– N'avez-vous pas éprouvé quelque sentiment pour Mme Laxter?

Thomas Lingham se leva et jeta sa chope dans le feu. Devant la fureur du colosse, nombre de policiers auraient prudemment pris la fuite. Mais Higgins avait appris à ne pas avoir peur, même si cette disposition d'esprit était génératrice de risques.

– Vous aurais-je vexé, monsieur Lingham?

Sortez immédiatement d'ici ou je vous réduis en bouillie!

De mon point de vue, ce serait une erreur deplorable, estima Higgins. Je consens à me retirer... Mais je déplore votre manque de franchise. C'est une stratégie qui se retournera contre vous.

Le forgeron cracha dans sa forge.

La Bentley de Scott Marlow, malgré quelques hoquets inquiétants, atteignit la chapelle de Druxham. Le superintendant vérifia la presence du pasteur dans sa prison temporaire puis partit a la recherche de son collegue. Il ne le trouva pas dans la rue principale. Comme Marlow n'avait pas la moindre envie de marcher sous la pluie, il l'attendit dans la voiture. Druxham lui parut sinistre, pas d'éclairage, pas de passants. Les maisons elles-mêmes semblaient hostiles. Il en fallait davantage pour effrayer le superintendant, mais il avait hâte de quitter cet endroit pour regagner le cottage de Higgins ou Mary préparait une poularde au lard et a la confiture de fraise.

Une silhouette emergea des tenebres. Marlow, par reflexe, porta la main a son arme réglementaire. Il ne se detendit qu'en reconnaissant Higgins et ouvrit aussitôt sa portière.

– Hâtons-nous de rentrer, recommanda-t-il.

– Si vous aviez des projets immédiats, dit l'ex-inspecteur-chef avec gravite, mieux vaudrait les annuler.

– Que se passe-t-il?

– Mitchell Grant a ete assassiné.

CHAPITRE XIV

Scott Marlow crut avoir mal entendu. Un deuxième meurtre à Druxham... Ça n'avait aucun sens! Et quelles complications... Le superintendant suivit Higgins jusqu'à l'entrée du clocher. La petite porte en bois claquait, agitée par le vent. La pancarte « accès interdit » était tombée. Les deux policiers grimpèrent jusqu'au domaine du sonneur de cloches.

Mitchell Grant était tassé dans son coin préféré. Higgins éclaira le cadavre avec sa lampe de poche.

- Ce n'est pas beau à voir, prévint-il.

Le rouquin avait été étranglé avec l'une des cordes servant à sonner les cloches. Les yeux grands ouverts, une langue épaisse sortant de la bouche, il avait une expression de frayeur.

- Ne pourrait-il s'agir... d'un accident?

Je crains que non, mon cher Marlow. Le plus maladroit des sonneurs de cloches n'aurait pu se tuer de cette manière. Et il y a autre chose... Mitchell Grant voulait me voir, ce soir. On l'a supprimé pour l'empêcher de parler.

- Vous voulez dire... qu'il connaissait l'assassin de Jason Laxter?

– C'est fort probable.

– Pourquoi n'a-t-il pas parlé plus tôt?

– J'ai une idée à ce sujet, superintendant.

Je la connais, Higgins.

L'ex-inspecteur-chef se tourna vers son collegue, intrigue.

C'était la première fois que Marlow lisait dans ses pensées.

– Mitchell Grant est le coupable. C'est lui qui a tue Jason Laxter. Nous ne lui avons rien appris quand nous l'avons croise, samedi soir. S'il a sonne le glas, c'est parce qu'il était bien place pour connaître le drame! Le remords l'a peu à peu ronge... Il a decidé de se confesser. Puis il a compris que c'était ruiner sa propre existence... Désespéré, il a mis fin à ses jours.

Higgins ne fit aucune objection.

– Il me reste une tâche pénible à accomplir, continua Scott Marlow : prévenir le pasteur et lui présenter mes excuses.

Cette nuit-là, à Druxham, personne ne dormit. Le pasteur fut assommé par la nouvelle de la disparition du carillonneur. Agatha Herald, qui avait observé de sa fenêtre les allées et venues des deux policiers, vint aux informations. Higgins ne jugea pas nécessaire de lui cacher les circonstances du drame. D'autres habitants du village, parmi lesquels le forgeron, Thomas Lingham, sortirent de chez eux. Il y eut bientôt un attroupement devant l'entrée du clocher. Scott Marlow fut contraint d'exiger un peu d'ordre et de serenité, pendant que l'institutrice allait prévenir par téléphone le coroner.

L'apparition d'une pluie battante dispersa les

villageois. Des rumeurs diverses commencèrent à
circuler. C'était un monstre caché dans la forêt,
assurait-on, qui avait commis ce nouveau meurtre. Une créature mi-animale, mi-humaine, capable d'escalader un clocher en quelques secondes et
de dévorer sa victime. On accusait aussi les mauvais esprits d'Evillodge, irrités par la présence de
la police, d'avoir quitté la glaise où ils étaient
enfermés afin de tuer un à un les habitants du
village. On accusa même les châtelains d'être
devenus fous et de vouloir exterminer la population avant de disparaître eux-mêmes.

Higgins réconforta le pasteur en lui offrant un
fond de whisky que Roger Wood avala d'une
seule lampée.

– Qui a fait ça... Qui a fait ça..., répétait-il en
passant nerveusement la main sur son crâne
chauve.

– Tout le monde est suspect, indiqua Higgins.
Il a suffi de suivre Mitchell Grant et de l'agresser
à l'intérieur de son repaire. Même s'il a crié,
personne ne pouvait l'entendre.

– Mais pourquoi... Pourquoi? Mitchell était un
garçon sauvage, craintif, fugueur, mais il était
aimé... Qui aurait pu lui en vouloir?

Lui-même, d'après l'hypothèse du superintendant.

Le pasteur ouvrit des yeux étonnés.

– Lui-même, expliqua Higgins, parce qu'il a tué
Jason Laxter avant de se suicider.

– Je n'y crois pas un instant, Inspecteur! Ce
garçon était la douceur même. Il ne vivait que
pour ses cloches. Son unique passion était d'amé-
liorer la qualité de leur son, de se lancer dans des
carillons de plus en plus compliqués. Il refusait
même d'écraser un insecte.

- Ne s'est-il jamais battu avec quelqu'un du village.

- Jamais. Quand le forgeron le menaçait, il s'enfuyait. Mais ça ne prouve rien, Thomas Lingham s'emportait volontiers. Il nous a tous menacés, ici. Comment vais-je retrouver un sonneur de cette qualité... Les cloches sont si importantes pour la vie du village... C'est une catastrophe, Inspecteur, une véritable catastrophe...

Le pasteur se mit à genoux et pria. Higgins jugea bon de l'abandonner à la pratique de son métier pour mieux exercer le sien.

Thomas Lingham et Geffrey le Mauvais entrechoquèrent leurs chopes.

- Qui a tué le petit Mitchell, d'après toi? demanda le forgeron.

- Aucune idée et je m'en fiche. Ce traîne-savates m'énervait. Sa disparition ne fera aucun tort au village et encore moins à Evillodge. Alors...

- Dans un sens, reconnut Thomas Lingham, tu n'as pas tort. Le son des cloches a dû lui fêler le crâne. Et puis...

Le forgeron s'interrompit. Sur le seuil de la forge venait d'apparaître l'ex-inspecteur-chef Higgins.

Pardon d'interrompre votre collation, s'excusa-t-il. Auriez-vous quitté Evillodge, monsieur le Mauvais?

- Bien sûr que non, répondit le forgeron. Comme chaque mardi soir, nous buvons un coup ensemble. Ça vous dérange?

Higgins fit quelques pas à l'intérieur de la forge.

Les outils étaient à leur place. Rien, dans le décor qu'il connaissait, ne semblait avoir changé.

– Mme Laxter est-elle rentrée?

– Je n'en sais rien, répondit Geffrey le Mauvais. Je n'ai pas vu sa voiture.

– A quelle heure êtes-vous arrivé à la forge?

– Il y a dix minutes environ...

– Auparavant, vous vous trouviez à Evillodge, je présume?

– Evidemment...

Thomas Lingham se leva, la poitrine saillante.

– Vous n'allez quand même pas insinuer que Geffrey a trucidé ce petit imbécile de Mitchell!

Le ton de Higgins se fit brusquement tranchant.

– Vous commencez à m'importuner, monsieur Lingham, avec vos attitudes de matamore. Asseyez-vous et laissez votre ami répondre lui-même. Mitchell Grant voulait se confier à moi. Je fais de son assassinat une affaire personnelle. Vous finirez tous par dire la vérité, dans ce village. Je ne quitterai pas Druxham avant de l'avoir obtenue.

La colère froide de l'ex-inspecteur-chef impressionna le forgeron et l'ouvrier agricole. L'un et l'autre prirent conscience qu'il tiendrait parole.

– Je ne suis pour rien dans le meurtre de Mitchell, affirma le forgeron. Je ne l'aimais pas, c'est tout. Si j'avais pu l'attraper, je lui aurais bien volontiers administré une bonne correction. Ce garçon était l'âme damnée du pasteur. Il ne songeait qu'à espionner et à faire des mauvais coups. Un menteur, un rusé et un lâche... Voilà ce qu'était Mitchell Grant.

Votre jugement est-il aussi sévère? demanda Higgins à Geffrey le Mauvais.

– Mitchell Grant était une sorte de déchet, dit

avec calme l'ouvrier agricole. Il a quitté la terre très jeune pour s'occuper de ses maudites cloches... Comme si on pouvait quitter la terre. Ce gamin-là, c'était de la mauvaise graine. Rien de bon à en tirer. Je savais qu'il finirait mal. C'est pas normal, de vivre comme ça.

Thomas Lingham, presque emprunté, proposa une pinte de bière à l'ex-inspecteur-chef. Le colosse se faisait presque aimable.

Non, merci. Je dois garder les idees claires, cette nuit. Mais vous pouvez continuer à boire.

- Moi, je remonte. déclara Geffrey le Mauvais. Evillodge m'attend.

La lumière filtrant a travers les rideaux de la demeure d'Agatha Herald prouvait que l'institutrice n'était pas encore couchée. Aussi Higgins n'hésita-t-il pas a frapper à sa porte.

La demoiselle avait le visage défait. A côte de la tasse de tisane de thym, il y avait une bouteille de rhum. Elle ne se leva pas.

- Je suis bouleversee, Inspecteur... Je n'aurais jamais cru que de telles horreurs puissent se produire à Druxham.

Avec la nature humaine, on doit toujours s'attendre au pire.

- Ailleurs, oui. mais au village...

- Rien ne sert de se voiler la face, mademoiselle Herald. Voici le second crime commis dans votre petit paradis. Ne croyez-vous pas qu'il est en train de se transformer en enfer?

Agatha Herald se sentit mal a l'aise. Elle eût l'impression que le regard de l'ex-inspecteur-chef la perçait jusqu'a l'àme. Pour s'occuper les mains,

elle arrangea un maigre bouquet de fleurs coupées.

- Mitchell Grant était un jeune homme tres
doux. tres sensible qui ne demandait qu'à vivre et
a être heureux. Il avait été le meilleur de mes
élèves, le plus affectueux. Il avait vite appris à lire
et à écrire. Il aimait travailler... Comme il était
orphelin, j'avais réussi a l'arracher très tôt à la
terre.

- N'est-ce pas le pasteur qui l'a élevé?

- Il lui a donné le gîte et le couvert. mais ils ne
s'entendaient pas très bien. Mitchell vivait dans
son rêve. Quand il a découvert le monde des
cloches, il a cessé de communiquer avec autrui.
Cela m'a presque effrayée. J'ai tenté de le raison-
ner, à plusieurs reprises. sans le moindre succès. Il
ne songeait qu'à son carillon. J'ai cru que je
n'entendrais plus jamais le son de sa voix. Jusqu'a
ce jeudi de la semaine dernière... Ce jeudi...

L'institutrice se moucha. versa une larme, se
moucha a nouveau. but un peu de thym au rhum.
Higgins se garda de l'interrompre. Les nerfs
d'Agatha Herald craquaient. Elle avait besoin de
se confesser. Son seul rôle. en cet instant. était de
lui offrir une présence reconfortante.

Mitchell Grant est venu me voir a la nuit
tombee, poursuivit-elle. Il avait l'air très agité. Il
ne voulait surtout pas être vu. Ce qu'il avait a me
confier était si grave. d'apres lui... Il était tombe
amoureux. Follement amoureux de Bettina Laxter. Il la suivait partout. il l'épiait. Il avait même
osé pénétrer dans le domaine d'Evillodge. malgre
les menaces de Geffrey le Mauvais. C'est dans la
cour qu'il s'était fait surprendre... pas par Geffrey. mais par Jason Laxter. Ce dernier l'avait
vertement sermonne. Il lui avait interdit de remet-

tre les pieds sur ses terres et de continuer à espionner son épouse. Sinon...

L'institutrice n'osa pas répéter les menaces proférées par Jason Laxter. Higgins n'exigea pas de précisions. Il imaginait assez les phrases prononcées sous le coup de la colère.

- Mitchell était désespéré, dit Agatha Herald. Il n'avait aucune conscience morale... Qu'une femme fût mariée n'avait aucune importance à ses yeux. Il aimait cette Bettina, il désirait la contempler, simplement la contempler...

L'institutrice baissa la tête. Sa confession lui avait beaucoup coûté.

- Il existe une conclusion implicite, observa Higgins.

- Bien sûr, avoua Agatha Herald, bien sûr... Mais je n'arrive pas à croire que Mitchell ait assassiné Jason Laxter.

- Avait-il des tendances suicidaires?

- D'ordinaire, non... Mais avec cette passion impossible, que se passait-il dans sa tête? Je perds pied, Inspecteur, je ne comprends plus rien.

- C'est un sentiment passager, la rassura Higgins. Lorsque la vérite sera établie, vous recouvrerez la sérénité.

La demoiselle leva des yeux angoissés vers l'ex-inspecteur-chef.

Et si l'on se contentait de cette verite-là? Si l'on admettait que ce malheureux Mitchell a commis l'irréparable et s'est châtié lui-même? Il faudrait recouvrir ces événements d'une chape de silence. Le village en aurait le plus grand besoin. Ne serait-ce pas la meilleure solution?

L'accepteriez-vous au prix du mensonge?

L'institutrice ne soutint pas le regard de l'homme du Yard.

– Je suis épuisée. Inspecteur... Voudriez-vous m'excuser?

– Que la nuit vous soit favorable, mademoiselle Herald.

*

**

Le coroner était enfin arrivé, accompagné de deux policiers en uniforme. Scott Marlow les laissa procéder aux formalités administratives. Il avait froid et sommeil. Combien il regrettait de s'être aventuré dans cette campagne humide dont les citadins vantaient le charme et la douceur de vivre! Déjà deux meurtres... Et Higgins qui n'en finissait pas de faire des investigations qui ne débouchaient sur rien. Le superintendant sombrait dans le pessimisme. Il se demandait s'il n'était pas plus difficile de dénicher un assassin a Druxham qu'a Londres. Au moins, dans une grande cité, la police pouvait appliquer des methodes modernes. Scott Marlow s'installa a son volant pour s'abriter de la pluie glacée.

On tapa a son carreau. Il sursauta et ouvrit sa portiere.

– Ah. c'est vous Higgins... Vous m'avez fait peur! Le coroner s'occupe du corps. Nous rentrons chez vous?

– J'aimerais vous montrer un detail qui nous a échappé. Marlow ceda et descendit de la Bentley. Il savait que Higgins. lui. ne cederait pas.

L'ex-inspecteur-chef entraîna le superintendant jusqu'au clocher dont la porte continuait a claquer. comme si l'endroit était a jamais abandonne. De sa lampe de poche. Higgins éclaira les cloches désormais muettes. Le vent s'engouffrait, faisant grincer les cordes. Qui sonnerait le glas pour Mitchell Grant?

- Regardez bien, superintendant.

Scott Marlow écarquilla les yeux, sans idée préconçue.

- Que faut-il voir de si étonnant, Higgins?

- L'arme du crime.

Le superintendant empoigna l'une des cordes servant à manœuvrer les cloches.

C'est bien cela, mon cher Marlow. Nous avions omis d'examiner de plus près la corde avec laquelle on a pendu Jason Laxter. Si ma mémoire ne me fait pas défaut, elle a la même texture que celles de ce clocher. La vérification sera facile.

- L'assassin de Laxter serait donc Mitchell Grant... S'il s'était suicidé, cela simplifierait les choses. Cette affaire serait terminée.

- Mais il ne s'est pas suicidé, objecta l'ex-inspecteur-chef.

Ce qui signifie qu'il y a un deuxieme assassin dans ce charmant village de Druxham et que...

Pris d'un violent éternuement, le superintendant n'eut pas le temps de finir sa phrase.

- Rhume de cerveau ou début de grippe, diagnostiqua Higgins. Il ne faut pas laisser le mal s'amplifier. Mary va vous soigner énergiquement.

Marlow ne savait pas trop s'il devait se réjouir à cette perspective, mais il désirait avant tout sortir de Druxham et se glisser dans des draps chauffés par une bouillotte.

Au moment ou les deux policiers montaient en voiture, des bruits étranges les firent se tourner vers le chemin conduisant à Evillodge. Une sorte de rire grinçant, des pas précipités écrasant des branchages, le ululement d'une chouette dérangée dans sa méditation...

- Avez-vous vu ce que j'ai vu, Higgins?

— Une forme noire de haute taille courant dans la nuit.

— C'est a peu près ça... Qui est ce gaillard?

— Je l'ignore. Peut-être l'assassin que nous cherchons.

Marlow éternua une nouvelle fois. Sa sante lui interdisait de séjourner plus longtemps dans la flaque boueuse qui s'était formée au pied de la Bentley. Il s'installa au volant et tenta de démarrer. La vieille voiture toussota, gémit et se tut. Marlow recommença. En vain. « Sabotage », pensa-t-il aussitôt. Une main malveillante voulait contrarier l'enquête du Yard.

Laissez-moi essayer, demanda Higgins. Ces automobiles d'un certain âge sont susceptibles. Elles ont horreur d'être brutalisées. Il faut d'abord leur parler, eviter de les brusquer et solliciter leur aide.

Profondement excede, mais n'ayant plus rien a perdre, Marlow sortit une nouvelle fois de la Bentley. Les déviations mystiques de Higgins l'exasperaient. Comment un inspecteur, renommé, pour son sens de l'ordre et de la méthode, pouvait-il s'abandonner a de tels errements?

La Bentley demarra en douceur. Son moteur ronronna sans a-coups. Higgins avait regagne la place du passager. Marlow ne demanda aucune explication et conduisit avec une nervosite certaine, ne reussissant pas toujours a eviter les trous d'eau.

Quelqu'un tente de nous effrayer.

Il s'agit peut-être d'un spectre, avança Higgins. A nous d'etablir s'il est ou non mêle aux deux crimes.

Un spectre? Vous voulez dire... Une creature de l'autre monde?

— Notre univers est peuple de creatures etran-

ges, mon cher Marlow. Surtout la campagne
anglaise.

- Mais... c'est absurde! Scotland Yard n'a pas
à s'occuper des spectres!

C'est l'honneur de notre métier, mon cher
Marlow : s'occuper de qui se regarde dans un
miroir, du miroir lui-même et de ce qu'il y a
derrière.

Scott Marlow renonça a polemiquer avec Higgins. Ce n'était pas avec de la philosophie qu'on
arrêtait des coupables.

Seriez-vous assez aimable pour m'arrêter ici?
demanda Higgins.

- Ici? s'étonna le superintendant. Mais nous
sommes en pleine campagne, loin de chez vous!

Je le savais, mon cher Marlow. Mais c'est
néanmoins à cet endroit que j'aimerais descendre.

La Bentley s'arrêta.

- Allez-vous m'expliquer...

- Je n'ai pas assez marché aujourd'hui. Le
temps est plutôt agréable. Une petite promenade
dans la campagne me sera des plus bénéfiques.

- Ne redoutez-vous pas...

- Le spectre? Je m'en arrangerai. Rentrez vite
au chaud, mon cher Marlow.

Complètement éberlué, Marlow vit Higgins disparaître dans la nuit.

CHAPITRE XV

Higgins chemina sur la crête des collines, longeant des bergeries abandonnées et aboutit derrière le château des Waking. L'entreprise a laquelle il devait se livrer dépassait quelque peu les bornes de la légalité. C'est pourquoi il avait jugé préférable de ne pas en informer le superintendant Marlow. Parfois, lors d'une enquête difficile, il était indispensable de prendre certains risques pour vérifier des hypothèses. Lasse des mensonges et des omissions des habitants de Druxham, l'ex-inspecteur-chef avait décidé de prendre une initiative osée mais nécessaire.

Il s'assura que le bouledogue dormait paisiblement dans sa niche. Voila bien des années que le vieux chien s'occupait davantage de son confort que d'éventuels visiteurs nocturnes. Higgins n'eut aucune peine a pénétrer dans le château. L'une des fenêtres de l'office d'été étant brisée, l'ex-inspecteur-chef n'eut qu'a passer la main pour tourner la poignée et s'introduire dans une aile glaciale du bâtiment.

Le vieux domestique devait dormir dans une chambrette sous les toits. Higgins traversa plusieurs pièces a l'abandon. Les fauteuils et les

meubles etaient recouverts de housses. Les chemi-
nées ne connaissaient plus de feu depuis de nombreuses années. Parvenu devant la chambre à
coucher des Waking, l'ex-inspecteur-chef tendit
l'oreille. Lord Graham ronflait sur un rythme
alerte. Higgins s'accorda un moment de répit.
Encore une nuit blanche en perspective, sans
certitude d'obtenir des resultats. Si ce qu'il cherchait se trouvait dans la chambre des propriétaires
du château, il aurait pris des risques inutiles. A
quoi bon s'insurger? Le métier d'inspecteur etait
fait de grandes et petites tâches, indissociables les
unes des autres. C'était souvent grâce à un petit
détail que la lumière jaillissait.

Higgins commença par la bibliotheque. poussié-
reuse à souhait. Les ouvrages. de médiocre qualité. n'avaient plus eté en contact avec un plumeau
depuis des lustres. Il continua par les armoires. les
commodes, les gueridons et les buffets. Maigre
bilan : des assiettes ebréchées. des couverts atta-
qués par le vert-de-gris. des nappes jaunies, des
vêtements troues par les mites.

Le château abritait trois cuisines delabrées.
C'est dans la plus petite d'entre elles. abandonnee
aux araignees et aux cafards. que Higgins découvrit ce qu'il cherchait. Une multitude de jeux de
cartes. dont certains fort beaux dataient de la fin
du XVIII⁰ siecle. Soigneusement range dans une
boîte en fer le protégeant de l'humidite. un jeu de
tarot aux couleurs agressives. et dont le style etait
de la meilleure veine. L'étoile. la papesse. le fou ..
toutes les lames étaient là, sauf une : le pendu.

L'ex-inspecteur-chef passa la nuit blotti dans un
angle de la bibliotheque. la seule pièce compor-

tant des fenêtres aux carreaux intacts. Il ne dormit que d'un œil, tel un chat aux aguets. Bien lui en prit car, peu avant l'aube, il entendit crisser les lames du parquet.

Se dissimulant derrière une armoire Regency qui avait connu des jours meilleurs, Higgins vit sortir de la chambre à coucher Lord Graham Waking, en liquette et en chaussettes. L'aristocrate grimpa l'escalier qui menait aux combles. Higgins le suivit. L'ex-inspecteur-chef avait la faculté de se déplacer sans faire le moindre bruit, ce qui lui avait souvent permis de surprendre des conversations fort instructives.

Le vieux Lord n'avait rendez-vous avec personne. Il fit quelques pas dans le couloir desservant les chambres des domestiques et s'arrêta devant un placard dont la peinture verte s'écaillait. Il se retourna. Higgins eut juste le temps de se dissimuler dans l'angle du mur. Il s'accroupit, afin de mieux observer les gestes de l'aristocrate. Ce dernier ouvrit les portes du placard avec la plus extrême lenteur, évitant de les faire grincer. Il en sortit deux paires de chaussures appartenant au vieux domestique, une boîte de cirage et un chiffon. Il déposa un peu de cirage sur ce dernier et frotta énergiquement les chaussures. Les contemplant avec amour, il les laissa sécher avant de les brosser. Le vieux Lord n'oublia pas le geste ultime du parfait cireur : donner du brillant en passant un chiffon doux.

Higgins abandonna l'aristocrate à son sort. Il en avait assez vu.

Ce petit matin d'automne, froid et pluvieux, offrait les caractéristiques qu'aimait Higgins. La

campagne semblait a jamais endormie. hésitant à
ôter ses écharpes de brume pour goûter les rayons
timides du premier soleil.

Ce fut Sam le cochon qui accueillit Higgins
dans la grande cour d'Evillodge. Apres avoir
pousse quelques grognements dus a ses rhumatis-
mes. l'animal, constatant que le visiteur ne mettait
pas en péril la tranquillité du domaine, retourna
se coucher.

Higgins jeta un regard circulaire. Geffrey le
Mauvais était invisible. Sans doute l'observait-il
depuis la grange ou de derriere un corps de
bâtiment. L'ex-inspecteur-chef avait decide de for-
cer la porte de Bettina Laxter et de la reveiller. en
dépit de l'heure. C'était contraire a tous les prin-
cipes de la galanterie. mais deux meurtres n'expli-
queraient-ils pas cette entorse aux bonnes manieres? Le dieu des policiers vint en aide a Higgins.
Les rideaux du premier étage étaient tirés. la
lumiere brillait. Selon toute probabilite. la belle
Mme Laxter s'etait levee avec les poules. De fait,
elle se montra a la fenêtre et poussa un petit cri en
apercevant l'ex-inspecteur-chef.

— Puis-je entrer? demanda ce dernier.

— Je vous en prie...

Bettina Laxter eut l'heureuse initiative de preparer un cafe dont Higgins apprécia la tempera-
ture élevée sinon l'arôme. Le liquide bouillant lui
réchauffa le sang.

En robe de chambre mauve, les pieds glisses
dans des chaussons rouges. la veuve de Jason
Laxter avait un charme fou. L'eclat de ses yeux
verts. cependant. semblait moins intense, comme
si sa jeunesse commençait a disparaître.

— Pourquoi cette visite si matinale. Inspecteur?

— A quelle heure êtes-vous rentree hier soir?

- Vers vingt heures... ou vingt et une heures, je ne sais plus. J'ai erré dans des magasins, à la ville, sans rien acheter. Je n'ai pas dîné. Un vague mal au cœur... J'ai pris un somnifère et je me suis couchée. Je me suis réveillée au milieu de la nuit et n'ai pas retrouvé le sommeil. Voilà mon pauvre emploi du temps...

-- Avez-vous croisé Geffrey le Mauvais?

- Non. Je ne l'ai pas revu depuis la mort de mon mari. Je crois qu'il m'évite. Il ne m'aime pas beaucoup...

Vous ignorez donc le drame qui s'est produit hier à Druxham?

Le beau visage de Bettina Laxter se teinta d'angoisse.

- Quel drame?

- Le sonneur de cloches, Mitchell Grant, est mort.

Mitchell Grant... ce jeune homme si doux, si gentil... C'est un accident, je suppose?

Non. madame Laxter. Il a été étranglé avec l'une des cordes servant à sonner les cloches.

Bettina Laxter mit les mains sur ses yeux.

Quelle horreur... Un autre meurtre... Mais qui...

Le salon de style Regency. destiné à abriter le bonheur douillet d'un jeune couple. n'était plus qu'une prison où s'agitait une jeune femme désespérée sur laquelle s'acharnait un destin maléfique.

- Connaissiez-vous Mitchell Grant? interrogea Higgins.

Bettina Laxter se leva. marcha jusqu'à sa coiffeuse et se poudra.

- Je l'ai rencontré une fois

- Où?

- En bordure du champ inondé, derrière la

maison. Je me promenais. Il s'était caché derrière
une souche de saule. Il m'a barre le chemin et m'a
adressé une déclaration d'amour. Il parlait vite. si
vite que je n'ai pu comprendre toutes les phrases.
Il m'a beaucoup émue. je l'avoue... Je l'ai même
embrassé sur le front. Il était comme fou! J'ai dû
le calmer et lui demander de ne plus revenir. Il
avait trompé une fois la vigilance de Geffrey le
Mauvais. mais y parvenir une seconde fois était
utopique.

Sur son carnet noir. Higgins nota que Geffrey
le Mauvais avait bel et bien vu le sonneur de
cloches et qu'il avait jugé bon de ne pas manifes-
ter sa présence. L'ex-inspecteur-chef était persuadé que personne ne pouvait s'aventurer dans le
domaine d'Evillodge sans être repéré par l'ouvrier
agricole.

— Mitchell Grant vous a-t-il obéi?

— Oui, répondit la jeune femme. Il s'est
contenté de m'observer de loin.

— Votre mari n'avait-il pas eu une sévère altercation avec lui?

Bettina Laxter. gênée. regarda ses ongles couverts d'un vernis vert pâle.

— Jason était tres jaloux. Inspecteur... Il n'aimait pas me voir parler avec d'autres hommes.

— Il avait donc surpris votre entretien.

— En effet... Et il s'en montra particulierement
furieux. Il m'avait interdit de prêter de nouveau
l'oreille aux élucubrations de Mitchell. J'ai tente
de lui expliquer qu'il s'agissait d'un enfant. mais il
n'a rien voulu entendre.

Se sont-ils battus?

— Simplement querelles. d'apres Jason. Il a
menace Mitchell de lui administrer une correction
s'il continuait de tourner autour de moi. Mais...
qui vous a parlé de cet incident?

— Agatha Herald.

Bettina Laxter eut un geste d'impatience. Elle renversa sa tasse de café. Higgins se proposa de la ramasser mais elle s'y opposa.

Laissez... Ça n'a aucune importance.

— L'institutrice vous irrite-t-elle à ce point?

- Je ne supporte pas cette femme. C'est une vieille fille acariâtre et méchante. Elle ne songe qu'à médire et a propager des ragots. C'est une déplorable institutrice et une mauvaise infirmière. Des gens comme elle empêchent tout progrès. Elle n'a aucune sensibilité et ne s'intéresse qu'à elle-même. Les habitants du village devraient la chasser.

— Lui avez-vous dit ce que vous pensiez d'elle?

Oui, une fois, je traversais la rue principale de Druxham. Elle m'a agressée, me reprochant l'ampleur de mon décolleté. Je l'ai priée de se mêler de ses affaires. Elle a tenté de me retenir. Je l'ai écartée, et nous nous sommes apostrophées pendant quelques minutes.

Higgins nota dans son carnet, sous la rubrique « Bettina Laxter » : *Sous une apparente douceur peut être violente et emportée.*

- Thomas Lingham n'était-il pas témoin de cette dispute? demanda l'ex-inspecteur-chef.

— Le forgeron? Bien sûr que non. C'est un rustaud qui reste confiné dans sa forge

Higgins eut brusquement l'air chagrine.

— L'une de vos déclarations me pose un problème grave, madame Laxter... Je crains que vous ne m'ayez menti.

— A quel propos?

Aucune emotion ne s'était inscrite sur le fin visage de la veuve. Elle ne se sentait pas fautive.

– D'après Lord Graham Waking. vous n'avez pas diné au château. vendredi soir.

Bettina Laxter parut fort etonnée.

– J'ai du me tromper de jour, voila tout... C'était mercredi ou jeudi, ou bien la semaine d'avant... Je n'ai aucune memoire des dates. Le temps s'écoule sans que je m'en aperçoive.

– Admettons... Faites tout de meme un petit effort. Ou etiez-vous. vendredi soir?

La jeune femme reflechit quelques instants.

Ici. chez moi... Je revenais de la ville, comme chaque jour... J'avais acheté une robe et des boucles d'oreille. Jason travaillait a l'atelier. J'ai dine seule et je me suis couchee.

Vous souvenez-vous du moment où votre mari est venu vous rejoindre?

– Non... Je me suis endormie tres vite.

Parfait. madame Laxter. Merci de votre coopération.

Higgins se leva. La jeune femme tenta de le retenir.

Inspecteur... Je...

Leurs regards se croiserent.

· J'ai peur. Inspecteur. Je suis certaine que Geffrey a tue mon mari pour rester le seul maître du domaine. A present. j'ai peur... Entre Evillodge et lui. il n'y a plus... que moi. S'il lui venait a l'esprit...

· Annoncez-lui que vous vendez Evillodge. Il n'aura plus rien a vous reprocher.

C'est un homme dangereux. Inspecteur. il est capable de tout!

Les craintes de la belle jeune femme n'etaient pas feintes.

· Agissez comme je vous le demande. madame Laxter. Je vous demande encore un peu de patience. Nous aurons bientôt mis un terme à cette triste affaire.

Cette prédiction produisit un curieux effet sur la veuve. Elle se raidit, affichant un air pincé que l'ex-inspecteur-chef ne lui connaissait pas.

Soyez prudente, madame Laxter. Fermez votre porte à clé. Si l'on frappe, assurez-vous de l'identité de la personne.

Cette fois, Bettina Laxter ne tenta plus de retenir Higgins.

La chapelle de Druxham était pleine. Il ne manquait pas un habitant du village, à l'exception de Bettina Laxter. Higgins se tint au fond de l'édifice. Au premier rang, Geffrey le Mauvais et Thomas Lingham ne savaient trop comment se comporter. Au milieu, entre deux paysans, Agatha Herald, la tête couverte d'un foulard. Sur deux chaises à part, marquées à leur nom, Lord et Lady Waking.

Chacun fut attentif au sermon émouvant du pasteur qui vanta le caractère heureux de Mitchell Grant, son dévouement sans bornes et son immense talent de sonneur de cloches. Il jeta l'anathème sur l'odieux criminel qui avait brisé cette jeune vie avec une impardonnable cruauté. « Le Seigneur a été comme un ennemi, clama Roger Wood, il a détruit Israël, ravagé ses palais, abattu ses forteresses, multiplie gémissements et gémissements. »

Une prière collective associa le village entier dans le souvenir de Mitchell Grant Conformément à la coutume, le pasteur offrit un déjeuner, lequel fut empreint d'une grande tristesse Higgins se mêlant aux invités, crut d'abord que les villageois déploraient la disparition du carillonneur: ensuite. il comprit qu'ils avaient peur. Une question revenait sans cesse : qui serait la troisième victime? Nul doute que le monstre caché dans les bois avait décidé d'en sortir pour semer la terreur dans Druxham.

Scott Marlow arriva au dessert.

Désolé. s'excusa-t-il. je me suis réveillé tard, avec une épouvantable migraine. Mary a été admirable. Je me sens mieux, par bonheur.

- Je suppose que vous avez pris le temps de déjeuner.

Je n'ai pas voulu la vexer. déclara le superintendant. Elle avait préparé deux ou trois plats... Avez-vous progressé. Higgins!

- Ce n'est pas impossible... Avertissez le coroner et réquisitionnez une dizaine de policiers. Nous en aurons besoin cette nuit.

- Redoutez-vous une attaque contre Druxham? s'inquiéta Scott Marlow.

- Pas exactement. Mais nous devons prendre les précautions nécessaires.

- Si je comprends bien. vous ne croyez pas à la culpabilité de Mitchell Grant.

C'est un peu plus compliqué. Superintendant. Il me reste encore des détails à vérifier.

Vous avez tort de vous obstiner. Higgins. J'ai bien réfléchi. Le coupable est mort dans des circonstances mystérieuses. voilà tout. Pour moi. cette affaire est déjà classée.

A constater les craintes des habitants qui redoutent un nouveau meurtre. on ne le croirait pas.

Un nouveau meurtre? Diable... Il faut éviter ça à tout prix!

- C'est bien mon avis, mon cher Marlow. C'est

pourquoi je vous demande de déployer les grands
moyens. Soyez de retour à dix-neuf heures.

Mais. Higgins...

L'ex-inspecteur-chef était déjà parti, en direction du château. Scott Marlow savait qu'il serait
inutile de lui poser des questions. Il ne restait plus
qu'à s'occuper de l'intendance. Si son collègue
avait besoin de l'intervention des forces de l'ordre,
c'est qu'il possédait une certitude. Cette déduction
rassura le superintendant.

– Lord Waking est-il ici? demanda l'ex-inspecteur-chef au vieux domestique au tablier brun.

– Non, Monsieur. Il vient de partir en promenade.

Voudriez-vous m'annoncer à Lady Waking?

Higgins avait assisté au départ du Lord. Il
disposait du temps nécessaire pour interroger son
épouse. Le domestique le conduisit jusqu'à la
chambre à coucher qui parut encore plus encom-
brée à l'homme du Yard. La vieille Lady avait fait
accrocher d'autres tableaux, toujours consacrés à
la vie familiale du château.

Mon mari est absent, Inspecteur.

Lady Emily était assise dans un fauteuil. Très
digne dans une robe-fourreau de couleur noire, le
cou orné d'un collier de perles, elle réussissait
presque à faire oublier son âge.

– Je sais, répondit Higgins. C'est vous que je
désirais voir.

– Hors de la présence du Lord? Voici une
étrange démarche...

– Vous connaissez ce village mieux que quiconque, Lady Emily.

Un sourire anima le visage ride de la châtelaine.

– Je sors si peu de ma chambre...

– Elle a des fenêtres, observa Higgins. C'est sans nul doute le meilleur poste d'observation sur Druxham.

La vieille aristocrate observa longuement l'homme du Yard comme si elle le voyait pour la première fois.

Vous êtes un inspecteur redoutable, monsieur Higgins, conclut-elle. En consultant le *Domesday Book*, j'ai constaté que vous apparteniez à une très ancienne famille. Pourquoi être entré au Yard?

– Nous n'avons guère le choix de notre destinée, Milady.

Je crois plutôt que vous avez un goût aigu pour la vérité, Inspecteur, et que vous faites preuve d'une rare obstination pour la découvrir. Comment vous le reprocher? Il est néanmoins nécessaire de tenir compte de cas particuliers.

– Comme Druxham, par exemple?

– Comme Druxham. Notre petite village traverse une période difficile. Il doit demeurer dans le passé. C'est sa seule raison de vivre.

Je crains qu'il ne s'agisse d'un rêve impossible.

– Pas obligatoirement. Il suffit de ne pas déranger les habitudes des uns et des autres. Donc...

Donc, oublier deux crimes, s'arranger pour faire croire qu'il ne s'est rien passé de grave et que la fatalité s'est éloignée de Druxham.

Le sourire, un peu triste, s'accentua.

– Vous avez bien perçu ma pensée, Inspecteur. Et votre réponse...

– Naturellement, c'est non.

– Naturellement. Je n'en attendais pas d'autre,

hélas! D'un autre côté. vous m'auriez déçue. Si
des hommes comme vous ne restaient pas fidèles à
eux-mêmes, où irait le monde?

- Je l'ignore, reconnut Higgins. Que pensez-
vous vraiment d'Agatha Herald?

Lady Emily afficha une morgue impressionnante. Elle redevenait le juge implacable du petit
monde de Druxham.

- C'est une femme qui pourrit notre communauté. Son travail d'institutrice est inutile et nuisible. Si elle était lucide. elle s'engagerait comme
domestique au château. Elle y accueillerait les
deux ou trois enfants intelligents qui mériteraient
de recevoir une éducation. Laissée à elle-même.
cette Agatha est condamnée à la déchéance. Si elle
venait s'installer auprès de nous, je la marierais à
Geffrey le Mauvais.

Higgins n'avait pas envisagé cette union.

- Envisagez-vous son acceptation?

- C'est une question qui ne se posait pas,
autrefois. Nous autres châtelains avions le devoir
d'organiser les mariages. Croire qu'il s'agit d'une
simple affaire de sentiments est une grave erreur.
Des alliances raisonnées sont indispensables pour
assurer la pérennité du village. Il est évident que
personne ne prendra Evillodge à Geffrey le Mauvais. Il serait capable de tuer pour se défendre. Il
est également évident que ce garçon est incapable
de gérer un aussi vaste domaine. Agatha Herald,
sous notre direction. lui apporterait l'aide nécessaire.

Higgins ne s'attendait pas à des confidences
aussi abondantes et aussi précises. Il se doutait
des dons de calculatrice de Lady Waking, mais
n'avait pas espéré qu'elle dévoilerait aussi facile-
ment ses plans.

- Geffrey le Mauvais a un ami rappela Hig-

gins : Thomas Lingham. Le forgeron ne vous
aime pas beaucoup. Milady. Il se serait sans doute
opposé a vos projets.

- Par principe, certainement, mais il aurait fini
par accepter... Le forgeron, c'est le diable. Il
connaît les forces du mal. Il en use pour manipu-
ler le feu. Thomas Lingham est indispensable au
village. Il lui sert de paratonnerre. Nous ne lui
demandons rien d'autre que de rester dans sa
forge.

- C'est un homme suffisamment violent pour
n'en faire qu'à sa tête. objecta Higgins.

Un forgeron doit l'être. jugea la vieille Lady.
Ça ne signifie rien de plus.

Cette fois. la châtelaine se refermait sur elle-
même. Higgins avait commis une légère erreur en
n'entrant pas complètement dans son jeu.

Le pasteur Wood ne vous a-t-il jamais trahie.
Lady Emily ?

- Il n'en est pas capable. C'est un homme
terne. sans imagination. Il ne connaît que sa
chapelle et sa Bible. Il n'est pas assez mystique. à
mon goût. Ne croire qu'en Dieu. c'est insuffisant.
J'ai tente de lui ouvrir l'esprit, de lui faire comprendre qu'il y avait des sciences occultes que ses
Saintes Ecritures ne suffisaient pas à tout expliquer. Peine perdue. Il présente au moins l'avantage de ne pas être un adepte du mensonge
comme Bettina Laxter.

- Vous en aviez pourtant fait l'éloge.

- Elle a de l'education. confirma Lady Emily.
Mais elle n'a aucune morale. La ville lui a abime
l'âme. Ici. au château. j'aurais pu la redresser.
Mais je crains qu'elle ne possede pas les qualites
innées de la noblesse. Aussi n'y a-t-il rien a
regretter.

– Etiez-vous au courant des sentiments qu'éprouvait pour elle Mitchell Grant ?

– Il n'était pas le seul... Bettina Laxter a cette beauté qui fait s'effondrer les esprits forts et soupirer les romantiques. Ce petit Mitchell s'y est laissé prendre, comme les autres. Je suis certaine qu'il est allé directement au paradis. Un garçon qui aime la musique des cloches est forcément un bon garçon.

– Vous ne le considérez donc pas comme le meurtrier probable de Jason Laxter.

– Lui ? Vous plaisantez, Inspecteur !

Higgins caressa une sculpture représentant la jeune châtelaine Emily debout entre deux moutons. L'artiste lui avait donné un visage fin et autoritaire.

– J'aimerais que vous parliez de votre mariage, demanda Higgins.

– Cela ne présente guère d'intérêt, Inspecteur. Je lui étais promise dès ma naissance. Dans ma famille, il était considéré comme irrespectueux de discuter une décision et je ne l'ai pas fait. Lord Graham est un homme charmant. Nous n'avons malheureusement pas pu avoir d'enfants. Druxham est notre véritable descendance.

– Pardonnez ma curiosité... Existe-t-il des différends entre vous et votre époux ?

– Ça ne se fait pas, Inspecteur.

– Comment définiriez-vous son caractère ?

– C'est un Lord. Il n'y a rien à dire de plus.

Higgins fit quelques pas, s'arrêtant devant une aquarelle représentant le château des Waking. Il tournait ainsi le dos à la vieille Lady.

– Il y a un détail qui me gêne, Lady Emily. Dans la poche de Jason Laxter, il y avait une lame du tarot. Le pendu. Comment expliquez-vous la présence de cette carte a cet endroit?

Cet homme était condamné à mourir ainsi, répondit Lady Waking. Il méritait son sort. Le tarot ne ment jamais.

CHAPITRE XVI

Higgins avait arrête son plan de combat. Combat... C'était le mot qui lui venait a l'esprit, car l'identification et l'arrestation de l'assassin de Jason Laxter et de celui de Mitchell Grant ne s'annonçait pas facile. Il faudrait jouer sur plusieurs tableaux a la fois, denoncer les mensonges des uns et des autres, porter les accusations a bon escient. Des reactions violentes etaient previsibles. C'est pourquoi l'ex-inspecteur-chef avait requis la presence de policiers dont l'intervention serait peut-être necessaire. Malgré son courage et sa force physique, Scott Marlow n'aurait pas suffi à la tâche.

Il restait une inconnue de taille : Higgins ne s'était-il pas trompe dans ses deductions? Ne manquait-il pas une piece majeure au puzzle qu'il avait patiemment reconstitué? Par instants, l'ex-inspecteur-chef considerait que la verite qu'il croyait avoir mise a jour etait depourvue de sens. Pourtant, en relisant les notes accumulées, en donnant a chaque detail sa juste valeur, il aboutissait au même resultat.

Higgins ressentit le besoin de se concentrer avant une soirée qu'il estimait decisive. S'il

échouait au cours de la reconstitution, un voile de
ténèbres risquait de recouvrir Druxham et les
deux meurtres. Aussi s'engagea-t-il dans la forêt
d'automne pour y respirer le parfum de la terre,
des feuilles mourantes et des bruyères incandes-
centes. Tout, ici, était calme et beauté. Jusqu'a
l'instant où une sorte de frelon frôla la tempe de
l'ex-inspecteur-chef. Lui succéda presque aussitôt
un bruit de course effrénée.

Le tireur maladroit détalait, piétinant des branches mortes. Mains croisées derrière le dos, yeux
leves vers le ciel, Higgins observa le soleil pâle qui
jouait à cache-cache avec les nuages. Cela faisait
partie des devoirs d'un inspecteur du Yard
d'échapper a la mort. L'incident, néanmoins, ne
manquait pas d'intérêt. Il prouvait que quelqu'un
redoutait Higgins au point de vouloir le supprimer. Quelqu'un qui n'était pas un bon chasseur.

Pendant ses séjours en Orient, Higgins avait
appris à ne pas craindre la mort. N'était-elle pas
une compagne aussi familière que la vie?

Il ne changea donc rien au programme qu'il
s'était fixé et continua sa promenade, silencieux
comme un chat.

La nuit tombait quand la Bentley de Scott
Marlow s'arrêta au pied de la chapelle de Druxham. Le superintendant en descendit et rejoignit
Higgins a leur point de rendez-vous, sous l'auvent
où avait coutume de se cacher Mitchell Grant, le
sonneur de cloches.

– Vos hommes sont-il en place, mon cher Marlow?

– Je les ai diposes dans les alentours du grand
chêne. Ils sont armes et disposent de lampes

puissantes. Personne ne pourra leur échapper. J'en ai gardé avec moi.

Vous leur demanderez de pratiquer une fouille sur les témoins.

– Pourquoi donc?

– Quelqu'un m'a tiré dessus pendant ma promenade dans la forêt. J'aimerais que les suspects ne fussent point armés. Cela évitera de désagréables incidents.

– Avez-vous recueilli la balle?

Inutile, mon cher Marlow. Inutile également de rechercher le fusil d'où elle provenait. Il n'appartient certainement pas au tireur et a dû finir sa carrière dans un coin perdu de la forêt. Nous avons mieux à faire.

Le superintendant et ses hommes passèrent chercher le pasteur, Roger Wood, qui les suivit sans rechigner, bien qu'il manifestât un étonnement certain pour cette procédure. Agatha Herald ne protesta pas. Thomas Lingham commença par refuser de coopérer avec la police. Devant la colère montante de Marlow, il céda en grommelant. Geffrey le Mauvais se contenta d'enfoncer un peu plus sa casquette sur sa tête et alluma une nouvelle pipe. Bettina Laxter, avant d'ouvrir sa porte, s'assura qu'il s'agissait bien de Scotland Yard. Elle demanda une dizaine de minutes pour être présentable. Quant aux châtelains, ils réagirent de façon fort différente. Lord Graham Waking prit la convocation de très haut. Son épouse, Lady Emily, s'en amusa. Cela lui ferait enfin une occasion de retourner dans la forêt. Le vieux Lord ne put qu'accepter la décision de sa femme.

Seul Sam le cochon ne fut pas convié à rejoindre le groupe qui s'était formé près de la chapelle, dans la rue principale de Druxham. Pourtant, il avait été témoin de faits essentiels. Personne n'ayant songé à lui demander son avis, il demeura dans la boue de la grande cour d'Evillodge, définitivement indifférent aux tribulations de l'espèce humaine.

— Nous allons procéder à la reconstitution du meurtre de Jason Laxter, annonça Scott Marlow. C'est pourquoi je vous convie à me suivre jusqu'au lieu-dit « le Juge éternel » où le cadavre du propriétaire d'Evillodge a été retrouvé pendu.

— Ma femme ne pourra pas marcher jusque-là, objecta le vieux Lord.

— Je crois que si, estima Lady Emily. Si j'étais trop fatiguée, cet aimable policier me porterait, n'est-ce pas ?

Scott Marlow marmonna une vague approbation.

— Faudrait se dépêcher, exigea Geffrey le Mauvais. J'aime pas abandonner le domaine trop longtemps. On sait jamais ce qui peut se passer.

— Eh bien, allons-y ! rugit le forgeron. Mais... où est-ce, votre « Juge éternel » ? Je n'y ai jamais mis les pieds.

Higgins prit la tête de l'équipe. Derrière lui, Thomas Lingham et Geffrey le Mauvais, côte à côte, puis Agatha Herald, Lord Graham Waking, Lady Emily Waking qui avait pris le bras du pasteur et, formant l'arrière-garde, Scott Marlow et les deux policiers. L'un d'eux portait sur l'épaule un sac rempli de sable, d'un poids équivalent à celui de Jason Laxter.

A la surprise du superintendant, la vieille Lady ne retarda nullement la marche. Le parcours fut même accompli en moins de temps que ne l'avait imaginé Higgins. Cinquante minutes après le départ du centre de Druxham, l'étrange procession avait atteint « le Juge éternel » ou les

policiers avaient dispose une dizaine de grands
flambeaux fichés en terre et dispensant une
lumière rougeâtre, presque angoissante.

Au pied du grand chêne, la chaise diabolique
sur laquelle étaient disposés la lame du tarot
représentant un pendu, un bouquet de bruyères
séchées, une paire de chaussures cirées et une bible
portant les initiales R.W.

Complètement grotesque, déclara Lord Waking en découvrant l'inquiétant spectacle.

– Ma bible! s'exclama le pasteur. Est-ce que je
peux la reprendre.

– Encore un peu de patience, dit Higgins.
Soyez aimable de prendre place à votre guise.

L'ex-inspecteur-chef se plaça à côté de la chaise.
Marlow, à la limite de la zone d'ombre pour
mieux surveiller l'ensemble des protagonistes. Le
premier policier déposa le sac de sable sur le sol
spongieux, le second proposa un tabouret à Lady
Emily qui s'assit face à l'ex-inspecteur-chef, à
quelques mètres de lui. Lord Waking, s'appuyant
sur sa canne, demeura aux côtés de sa femme.
Agatha Herald se tint tout près d'un des flambeaux, sur la droite de Higgins. En face d'elle, de
l'autre côté, Geffrey le Mauvais, assis sur une
souche et Thomas Lingham, bras croisés sur la
poitrine. Entre Agatha Herald et Lady Waking,
un peu en retrait, le pasteur Roger Wood. Quant
à Bettina Laxter, elle avait choisi une petite butte,
juste derrière le forgeron. L'endroit semblait un
peu plus sec que le reste de la clairière.

– Nous sommes ici pour identifier l'assassin de
Jason Laxter, indiqua Higgins avec gravité. Nous
savons que le propriétaire d'Evillodge a été étranglé, soit ici même soit a Druxham. Le meurtre a
eu lieu dans la nuit de vendredi dernier entre
minuit et deux heures du matin. Si, comme je le

suppose, Jason Laxter a bien été assassiné à
Druxham, il n'a guère fallu plus d'une heure au
coupable pour transporter le cadavre jusqu'à cet
endroit.

Vos déductions nous mettent hors de cause,
ma femme et moi, déclara Lord Waking.

— Nous y reviendrons, dit Higgins, énigmatique. Qui était Jason Laxter? Une sorte de génie,
un aventurier généreux, un idéaliste... Mais aussi
un technicien compétent qui avait des idées précises et une volonté de fer. Peu robuste physique-
ment, il ne cédait pas devant l'adversité. Les pieds
sur terre? D'une certaine manière seulement... Au
fond de lui-même, c'était un mystique. Il voulait
réussir l'impossible, prouver qu'il pouvait rendre
fertile et prospère un domaine voué à la pourriture et à la mort. C'est cela, le principal trait de
son caractère. C'est cela qui explique sa fin brutale. Jason Laxter était un être fragile, très
influençable, sensible au moindre phénomène qui
mettrait en cause sa vocation. L'assassin le sait
aussi bien que moi. S'il acceptait d'avouer son
crime, il m'éviterait de pénibles investigations
dans les mystères de Druxham.

Seul le silence répondit à Higgins. Les partici-
pants à la reconstitution, tendus, ne le quittaient
pas des yeux. L'ex-inspecteur-chef avait voulu
donner une dernière chance à l'assassin. Il ne la
saisit pas.

Est-ce vraiment nécessaire d'aller jusque-là?
demanda Lord Waking. Druxham est un petit
village bien tranquille et...

— Il l'était, rectifia Higgins. Jason Laxter avait
compris que Druxham dépérissait. Ses solutions
pour sauver le village étaient peut-être folles, mais
avaient le mérite d'exister. Tuer cet homme, c'était
détruire le village. Tous, vous vous refusez encore

à l'admettre. Moi, j'ai le devoir d'établir la vérité pour que son âme repose en paix.

Dans la lueur des flambeaux, au sein d'une nuit étoilée exceptionnellement dépourvue de nuages, les paroles de l'ex-inspecteur-chef prirent une force particulière. Scott Marlow en frissonna.

– Un meurtre n'a pas suffi, continua Higgins. Il y en a eu un second et l'on a tenté de me tuer. Quiconque aurait voulu témoigner aurait été tué. C'est pourquoi les langues ne se sont pas déliées. N'est-ce pas exact, monsieur le pasteur?

Higgins fit quelques pas en direction de Roger Wood. Malgré la température plutôt fraîche, le pasteur n'était vêtu que d'un léger costume noir. Son visage enjoué se crispa.

– Pour ma part, Inspecteur, je ne vous ai rien caché...

– Vous venez de traverser une période difficile, rappela Higgins. Vous avez été accusé d'un meurtre et vous avez perdu votre sonneur de cloches. Au village, on ne vous aime pas beaucoup. Geffrey le Mauvais vous reproche votre dédain pour les pauvres. On vous accuse d'être hypocrite, de ne pas croire en Dieu et de vivre de la croyance d'autrui.

– C'est faux! s'insurgea le pasteur. Dieu est mon seul guide.

– Ce n'est pas l'avis d'Agatha Herald. Elle vous juge obscurantiste et nuisible.

Le pasteur secoua la tête, dépité.

Pourquoi ai-je suscité autant de haine? Ai-je vraiment commis une mauvaise action envers quelqu'un?

– Vous n'avez aucun alibi pour le soir où Jason Laxter a été assassiné, indiqua Higgins.

Je me trouvais dans la chapelle, je vous le jure!

Higgins relut ses notes.

Le superintendant n'a pas eu tort de vous arrêter. Les apparences étaient contre vous. Moi-même, je vous ai soupçonné. Mais plusieurs indices m'ont amené à conclure à votre innocence. D'abord, en effet, votre présence effective, presque à tous moments, dans cette chapelle austère et dépouillée. Vous aimez sincèrement cet endroit. Votre comportement prouve votre vocation. Ensuite, la manière dont Lord Waking a pris votre défense m'a paru convaincante. La chapelle et le château sont les valeurs sûres de Druxham, comme lui, vous vouez un culte à l'ordre établi.

Laxter menaçait précisement de le détruire, ce fameux ordre! attaqua le forgeron.

- Vous ignorez un fait déterminant, monsieur Lingham, exposa Higgins. Jason Laxter et Roger Wood avaient conclu une alliance. Pour des raisons différentes, ils voulaient réformer l'éducation dispensée par Mlle Herald. Malgré son peu de goût pour la religion, Jason Laxter avait estimé qu'une entente était possible avec le pasteur, lequel, à côté d'un enseignement plus technique, voulait rétablir un enseignement religieux. La disparition du propriétaire d'Evillodge est pour Roger Wood une sorte de catastrophe.

Très nerveuse, l'institutrice intervint avec agressivité.

Il n'est déjà pas facile d'être enfant à Druxham... S'il fallait encore être sous la coupe de la chapelle, quel enfer!

- Que Dieu vous pardonne vos propos, implora Roger Wood.

Higgins abandonna le pasteur et retourna vers le grand chêne, pensif.

Il restera quand même à expliquer la présence de la bible de Roger Wood sur le lieu de la pendaison, dit l'ex-inspecteur-chef. Un homme en était capable : Mitchell Grant. Ne passait-il pas le plus clair de son temps à observer les allées et venues des uns et des autres?

– Qu'est-ce que ça signifie? s'insurgea Agatha Herald. Voulez-vous dire... qu'il nous espionnait?

– Exactement, répondit Higgins. Tantôt depuis l'auvent situé derrière la chapelle, tantôt du haut du clocher.

– Cette petite ordure! souligna le forgeron. Il a mérité son sort.

Scott Marlow fit un signe discret aux policiers dont les collègues, en faction, étaient prêts à intervenir à tout moment. Le superintendant pensait que l'assassin – ou les assassins – finiraient par craquer au cours de la reconstitution. Thomas Lingham avait sa préférence. Aussi fallait-il faire preuve d'une absolue vigilance. Une réaction très violente était prévisible.

– Peu importent les jugements de valeur, estima Higgins. Tenons-nous-en aux faits. Mitchell Grant et Jason Laxter ont eu un grave différend. Le sonneur de cloches était tombé amoureux de Bettina Laxter. D'après Mlle Herald, qui lui vouait pourtant une réelle affection, c'était un garçon sans grande conscience morale. Courtiser une femme mariée ne l'effrayait pas. Mais le mari est intervenu. Il l'a menacé. Mitchell a fait semblant d'avoir peur... Mais ne disposait-il pas d'informations mettant en cause l'honorabilité de Jason Laxter? Ne le faisait-il pas chanter?

– En ce cas, conclut le vieux Lord, il serait l'assassin... Il aurait tué sa victime qui refusait de payer!

– Mitchell Grant n'aimait guère Jason Laxter, ajouta Higgins. Il lui reprochait de vouloir masquer le son des cloches avec le bruit des machines agricoles. Il lui reprochait aussi d'être l'époux de Bettina. Il a sonné le glas, samedi soir, parce qu'il savait que Jason Laxter était mort... Jason Laxter qu'il avait tué quelques heures auparavant.

Higgins crut percevoir des soupirs de soulagement. Scott Marlow se détentit un peu. Ainsi, l'ex-inspecteur-chef s'était rangé à sa théorie.

Cet édifice ne me paraît malheureusement pas très solide, déclara Higgins, marchant de long en large devant le « Juge éternel ». Mitchell Grant n'avait pas le tempérament d'un assassin. Quand il a appris que Jason Laxter avait été retrouvé pendu, il était sincèrement épouvanté. Son regard ne trompait pas. Ce garçon était un voyeur, pas un comédien. La culpabilité du sonneur de cloches a paru invraisemblable à Lady Emily qui connaît bien le village. Roger Wood l'a également exclue. Il estimait que Mitchell était la douceur même. J'ajouterai que ce jeune homme marchait tantôt pieds nus tantôt avec des bottes non cirées.

Indices plutôt maigres pour l'innocenter, ironisa le forgeron.

– Pas tant que cela, objecta Higgins. Il suffit d'y ajouter le message que Mitchell Grant m'a fait parvenir en secret, afin de me fixer un rendez-vous. Un secret qui n'a pas été gardé bien longtemps... Sans doute était-il épié.

– Par qui? demanda Lord Waking.

Par l'assassin qu'il avait décidé de dénoncer, répondit Higgins. Non par souci de moralité mais parce qu'il avait peur. A juste titre.

Higgins fit quelques pas et s'arrêta devant l'institutrice-infirmière.

N'est-ce pas votre avis, mademoiselle Herald?

CHAPITRE XVII

Agatha Herald. les épaules couvertes d'un imperméable gris, recula d'un pas.

Mon avis... Je ne sais pas...

Vous aimiez beaucoup le malheureux Mitchell Grant. mais vous lui avez joué un mauvais tour en l'arrachant a la terre. rappela Higgins. Il fut obligé de quitter son milieu naturel et de découvrir un nouvel univers : celui de la chapelle et de la musique des cloches.

– Je ne le regrette pas. Inspecteur. S'il avait persévéré. a l'école. il aurait même pu faire des études.

Pour partir a la ville et devenir une bouche inutile. grogna Geffrey le Mauvais. C'est comme ça qu'on détruit un village.

Agatha Herald resserra les pans de son imperméable.

Pourquoi auriez-vous tue Mitchell Grant? interrogea Higgins en regardant les hautes branches du chêne. Je n'ai trouvé aucun motif sérieux.

Merci. dit-elle. pincée.

– En revanche, en ce qui concerne Jason Laxter. la situation est beaucoup moins claire. Il n'appreciait pas la manière dont vous exerciez votre profession d'institutrice. D'apres Lady Waking, vous pourrissiez la petite communauté de Druxham. Ne souhaitiez-vous pas le village pour vous seule? Etant donné l'âge des châtelains, vous aviez misé sur leur mort prochaine et l'attendiez avec patience. Le pasteur ne vous gênait pas. La foi se perd, la chapelle déperit. Il resterait l'éducation. Mais voici qu'est arrivé Jason Laxter, avec ses idées révolutionnaires et son goût du progrès. Vous n'aviez pas imaginé, mademoiselle Herald, la venue d'un concurrent aussi redoutable. Personne, au village, n'avait la taille nécessaire pour l'affronter. Quelle solution vous restait-il, sinon de le supprimer?

L'institutrice-infirmière vacilla. Elle jeta un regard apeuré au pasteur qui demeura de marbre.

Vous n'avez pas le droit de m'accuser ainsi, Inspecteur... Je n'ai rien fait. Vous vous trompez complètement.

Niez-vous, mademoiselle Herald, que Jason Laxter et Roger Wood aient conclu une alliance contre vous?

Non, mais...

Niez-vous que Jason Laxter ait eu l'idée de remplacer votre enseignement par des cours techniques?

Non...

Vous n'avez pas d'alibi pour l'heure du crime, sinon une promenade sans but. Chacun sait, ici, que vous connaissez bien la forêt. Je vous ai vu soigner un animal. Vous avez de la force et du sang-froid. A mon avis, vous êtes capable de serrer le cou d'un homme et de le porter sur votre dos. De plus, vous êtes une personne tres meticuleuse et fort soignée. Vous aimez les escarpins

impeccablement cires et vous evitez de les maculer
de boue.

D'instinct. Agatha Herald regarda ses pieds.
Sans y prendre garde, elle avait évité le maximum
de pieges du chemin. Ses bottines étaient presque
impeccables, alors que celles des autres partici-
pants a la reconstitution étaient maculées de
boue.

N'auriez-vous pas conclu une alliance avec
Geffrey le Mauvais pour vous debarrasser de
Jason Laxter? demanda Higgins incisif.

L'institutrice-infirmiere demeura bouche bée.
Elle mit plusieurs secondes a reprendre ses esprits,
comme si la question de l'ex-inspecteur-chef avait
tarde à parvenir a son cerveau. Scott Marlow
considerait la robuste demoiselle d'un autre œil.
Higgins avait rapproché bien des éléments trou-
blants.

- Geffrey le Mauvais... Mais nous n'avons rien
de commun, Inspecteur! Vous ne pouvez pas
comprendre...

Higgins s'approcha d'elle. La lueur de la torche
eclairait un visage blème.

Je crois que si, affirma l'homme du Yard. Ft
si vous me disiez la verite?

Agatha Herald tordit un mouchoir entre ses
doigts. Elle évita le regard perçant de l'ex-inspecteur-chef.

- Des histoires d'amour, indiqua-t-il, voila ce
qui a rompu l'équilibre ancestral de ce village.
Rien ne peut s'opposer a ce genre d'epidémie.
Vous vous defendez bien mal, mademoiselle
Herald. Ne m'avez-vous pas confie avoir passe
votre soirée du vendredi à l'ecole pour y corriger
des copies?

- Si, si... je ne sais plus...

La solide institutrice semblait perdue.

– Je veux bien vous croire. En revanche, votre promenade au hasard du samedi matin est un beau mensonge.

– Non, protesta-t-elle faiblement.

– Préférez-vous les fleurs coupées ou les fleurs séchées, mademoiselle Herald?

L'institutrice fit deux pas en arrière, comme si elle s'apprêtait à s'enfuir. Sur un signe de Scott Marlow, l'un des policiers vint se placer derrière elle.

– Répondez-moi, insista Higgins qui lisait la panique dans les yeux de la suspecte.

– Coupées... Je les préfère coupées, balbutia-t-elle.

– C'est un goût très récent. Lors de ma première visite, il n'y avait que des fleurs séchées. Lors de la dernière, elles avaient disparu. Vous rendant compte de votre négligence et de l'importance de l'indice que vous m'offriez, vous les avez remplacées par des fleurs coupées. Trop tard, mademoiselle Herald, beaucoup trop tard...

Tous les regards s'étaient tournés vers l'institutrice.

C'est donc elle qui l'a tue, conclut Lady Waking. Mais pourquoi cette mise en scène?

– Demandons-nous d'abord pourquoi Agatha Herald a déposé sur le cadavre un bouquet de bruyères séchées. Voudriez-vous me répondre, Mademoiselle?

Agatha Herald garda le silence.

– Je suis donc obligée de le faire à votre place, dit Higgins. Vous avez une certaine forme de courage et surtout beaucoup de pudeur, mademoiselle Herald. Je crois que vous étiez tombée amoureuse de Jason Laxter. Certes, vous aviez entamé un combat d'ordre intellectuel, mais vous ne désespériez pas de le remporter et de le convaincre que vous aviez raison. Mais comment lui avouer vos sentiments? Jason Laxter était marie...

La tête baissée. l'institutrice n'opposa aucune dénegation.

-- Tôt samedi matin. vous avez découvert le drame en vous promenant en forêt. Le choc a dù être terrible. Vous n'avez su comment agir. Une seule idee vous est venue a l'esprit : ne pas le laisser partir ainsi pour l'éternité. Vous êtes reve-nue chez vous pour y prendre un bouquet de fleurs sechees et le déposer sur le cadavre de Jason Laxter. Un cadeau d'adieu a l'homme que vous aimiez et qui ne le savait pas.

Des larmes coulerent sur les joues de l'infir-mière.

Vous aimiez Jason Laxter et vous ne l'avez pas tue. affirma Higgins. J'ai cru, un instant. que vous vous étiez assure la complicité de Mitchell Grant pour assassiner le proprietaire d'Evillodge et que vous vous étiez ensuite debarrassee du sonneur de cloches. Mais cette théorie ne tenait pas compte de vos sentiments réels. Je les ai perçus en vous voyant présente lors de l'office célébre par le pasteur a la memoire de Jason Laxter. Vous qui étiez si violemment hostile à la religion aviez decidé de vous rendre en ce lieu que vous haissiez. Pourquoi? Parce que vous vouliez être présente là où on parlait de Jason Laxter. La religion ne comptait pas devant l'amour.

Agatha Herald pleurait doucement. enfermee dans sa solitude.

Un autre detail m'a convaincu de votre inno-cence. reprit Higgins. Vous avez soigné Jason Laxter et vous m'avez affirmé qu'il ne songeait pas au suicide et qu'au contraire il avait une formidable envie de vivre. C'est vous-même qui

avez souligné le fait qu'il s'agissait d'un crime
abominable. Il voulait réussir, vous aussi. A vous
deux, vous auriez arraché le village à la décrépitude et au néant. Mais l'assassin ne vous aura pas
permis de réaliser votre rêve. Aidez-moi, mademoiselle Herald... Quand vous êtes venue ici,
avez-vous remarqué quelque chose d'insolite?

L'institutrice secoua négativement la tête.

Y avait-il bien cette chaise sous le pendu?

Agatha Herald approuva.

- En plaçant le bouquet de bruyères séchées
dans la poche de Jason Laxter, avez-vous noté la
presence de la bible?

Elle approuva à nouveau.

- Rien d'autre?

L'institutrice demeura muette. Ce qui se passait
dans cette clairière ne la concernait plus. Elle
avait tout perdu. L'abandonnant a sa douleur,
Higgins marcha lentement jusqu'à Geffrey le
Mauvais. L'ouvrier agricole était toujours vêtu de
sa veste rapiécée et de son pantalon bleu. Il fumait
une pipe dont le tuyau se perdait dans sa moustache drue. La casquette enfoncée sur son crâne, le
regard bas, il ressemblait à un bastion imprena-
ble.

Etes-vous enfin décide à revéler ce que vous
savez? demanda Higgins.

Geffrey le Mauvais resta silencieux. Au ton de
Higgins, Scott Marlow sentit que l'entretien serait
dramatique. Soulagé d'avoir vu démontrée l'innocence d'Agatha Herald, il ne croyait pas trop a la
culpabilite de cet homme borne, enfermé sur
lui-même.

Votre famille et vous-même vivez à Evillodge
depuis toujours, rappela Higgins. Vous considérez
cette terre comme la vôtre. Elle seule vous inte-
resse. La travailler est votre unique passion. Vous

n'avez même pas trouvé le temps d'apprendre à lire et à écrire.

— C'est comme ça.

— Cette situation est inhabituelle, jugea Higgins. Votre degré d'attachement au domaine est tout a fait exceptionnel. D'après Lady Waking, si quelqu'un tentait de vous prendre Evillodge, vous seriez capable de le tuer. Or, n'est-ce pas ce qu'avait entrepris Jason Laxter? En devenant le nouveau propriétaire, il vous privait de ce que vous considérez comme votre bien absolu. Sa femme, Bettina, est certaine que vous l'avez assassiné pour rester le seul maître du domaine.

— Qu'elle le prouve.

— Auriez-vous oublie vos propres declarations? Vous qui êtes avare de paroles aviez averti Jason Laxter que vous étiez le seul capable de dompter cette terre et qu'aucune machine n'y parviendrait. Vous lui annonciez son échec. Pourquoi tant de certitude, sinon parce que vous vous chargeriez vous-même de l'éliminer?

— C'est Evillodge qui l'a tue. repeta Geffrey le Mauvais.

Higgins chercha en vain le regard de l'ouvrier agricole.

Vous n'avez aucun alibi pour l'heure du crime et vous etiez admirablement place pour observer les allées et venues de Jason Laxter. Lorsque vous avez compris qu'il etait sur le point de devenir le veritable maître du domaine et que vous seriez relégue dans une fonction subalterne vous avez conçu un projet meurtrier. Etrangler un homme et le porter jusqu'ici ne vous posait aucun probleme. Quant à la chaise maudite, vous connaissiez son emplacement dans la remise.

Geffrey le Mauvais haussa les epaules.

— Ça ne tient pas debout... Je n'avais pas

besoin de tuer Laxter. Le domaine s'en est chargé.
Je suis le seul à pouvoir vivre a Evillodge. C'est
comme ça et personne n'y changera rien.

Higgins consulta ses notes à la lueur d'un
flambeau.

- Le petit Mitchell Grant a surpris votre action
criminelle ou a compris quelles étaient vos inten-
tions. Il m'a confié que c'était vous, à Evillodge,
qui tiriez les ficelles. Il vous considérait comme un
individu violent qu'il ne fallait ni approcher ni
importuner. Il avait peur de vous et il n'avait pas
tort. Vous l'avez surpris à vous épier et vous avez
décidé de supprimer ce témoin gênant. Dans vos
déclarations le concernant, vous vous êtes montré
fort peu prudent. Vous l'avez traité de déchet.

J'étais sûr qu'il finirait mal. Quand on quitte
la terre, on finit mal. C'est bien comme ça.

Geffrey le Mauvais ne cédait pas. Il n'y avait
aucune émotion dans sa voix. Inaccessible au
remords, il ne semblait nullement impressionné
par les graves accusations de Higgins qui, malheureusement, n'apportait aucune preuve. Scott Marlow se dit que la partie était presque impossible a
gagner. Séduit par la reconstitution de son collègue, il ne voyait pas comment ce dernier contrain-
drait l'ouvrier agricole à avouer.

Geffrey le Mauvais vida le fourneau de sa pipe
et la bourra à nouveau de tabac.

Faudrait pas que tout ça dure trop longtemps, déclara-t-il. J'ai du travail au domaine,
moi.

Niez-vous avoir assisté a l'altercation entre
Jason Laxter et Mitchell Grant? interrogea Higgins qui ne manifestait aucun enervement.

- Qu'est-ce que ça pouvait me faire? Ils pouvaient bien s'entretuer si ça les amusait. C'est pas

moi qui serais intervenu. Je ne les aimais ni l'un ni l'autre.

– Avez-vous entendu les paroles prononcées par Jason Laxter?

– J'ai pas l'ouïe tres fine... Et puis ça depend du vent. Ce jour-là, il soufflait très fort. Ça m'obligeait à me tourner du côté du champ inonde. La où on n'entend rien et où on ne voit personne.

– C'est faux, jugea Higgins. Vous vouliez êtré averti de tout ce qui se passait sur votre territoire. A votre maniere, vous êtes un autre Mitchell Grant.

Cette fois, l'ouvrier agricole reagit. Arrachant sa pipe des lèvres, il leva le bras contre Higgins Scott Marlow s'interposa.

· Veuillez vous calmer immédiatement, ordonna le superintendant. Sinon, je vous fais passer les menottes.

Geffrey le Mauvais baissa le bras.

– Nous aurions dû marier ce garçon depuis longtemps, souligna Lady Waking. Trop de solitude nuit à l'equilibre nerveux. Il aura fini par perdre la tête.

– Deux personnes pensent que vous n'êtes pas un criminel, reprit Higgins. La première est le pasteur. Il m'a donné une indication qui ferait effectivement douter de votre culpabilité. D'après lui, Jason Laxter avait reussi à rentrer dans vos bonnes grâces. Malgre votre sens de l'indépendance, il regnait plutôt une bonne entente entre vous.

– Ça ne regarde que moi, bougonna Geffrey e Mauvais.

– Vous voyez bien qu'il ment! intervint Lord Waking. Arrêtez ce criminel et donnez-moi Evil-lodge.

– Salaud, dit l'ouvrier agricole, faisant un pas en direction du vieil aristocrate.

Cette fois-ci, ce fut Higgins qui s'interposa. Geffrey le Mauvais recula.

– Vous n'aurez jamais mon domaine, pourriture! déclara-t-il avec hargne. Mettez-vous bien ça dans la tête. Jamais!

Lady Waking n'avait pas bougé. Immobile comme une momie aux yeux ouverts, elle n'avait pourtant rien perdu de la scène. Higgins attendit quelques instants que la tension faiblît. Sa stratégie ne donnait pas de trop mauvais résultats. Les masques commençaient à tomber.

– La seconde personne qui vous innocente, continua l'ex-inspecteur-chef, est beaucoup plus surprenante que la première. Je suppose qu'elle a agi ainsi pour des raisons inavouables. N'est-ce pas le cas, monsieur Ingham?

CHAPITRE XVIII

Le forgeron avait passé un chandail marron trop étroit. Sa musculature saillait au point d'écarter les mailles du vêtement.

– Je n'ai rien à cacher, moi. Geffrey est mon ami. J'étais sûr que la police lui mettrait tout sur le dos. C'est à vomir.

Vous m'aviez prévenu, en effet, reconnut Higgins. De quelle manière comptez-vous prouver l'innocence de votre ami?

Le colosse s'avança vers l'ex-inspecteur-chef.

– Ma parole ne vous suffit pas?

– Non, monsieur Lingham, répondit Higgins avec tranquillité.

– Vous... Vous...

– Me frapper ne vous avancera à rien.

Marlow avait porté la main à son arme réglementaire. La tension régnant dans la clairière était à couper au couteau. Cette fois, le superintendant sentait que Higgins avançait en terrain sûr. Thomas Lingham était un violent, un colérique, un être primaire qu'il serait plus aisé de piéger que le rusé Geffrey le Mauvais.

– Vous avez refusé de travailler pour Lord Waking, monsieur Lingham. Pourquoi?

Le forgeron jeta un regard incendiaire au vieux Lord puis cracha dans sa direction. Lady Emily ne réagit pas.

— Je suis sûr que ce vieux tyran m'accuse d'être un assassin!

— Inexact, rectifia Higgins. Il m'a simplement indiqué, de même que le pasteur, que vous étiez l'homme le plus violent de Druxham.

— Ces deux-là... Ils s'entendent comme larrons en foire pour perdre le pauvre monde! Et c'est eux que la police écoute, naturellement...

— N'ayez aucun préjugé, recommanda Higgins. Le pasteur a évoqué certaines beuveries, voire des orgies, qui se seraient déroulées dans votre forge. Qu'avez-vous à déclarer sur ce point?

Thomas Lingham, d'abord éberlué, éclata de rire.

— Je déclare que c'est vrai et qu'on a passé de sacrés bons moments, Geffrey et moi! Quand il accepte de sortir de son trou perdu et de venir me rejoindre, on commence par vider quelques chopes de bière... Et quand on a bien bu, on s'occupe des filles. Il y en a un certain nombre, dans le coin, qui apprécient la chaleur de la forge... Ça vous gêne, Inspecteur?

— Pas le moins du monde, monsieur Lingham. Mais je crains qu'il ne s'agisse que d'une vantardise. Si c'était la vérité, j'aurais recueilli d'autres témoignages dans ce sens. Druxham est un trop petit village pour que des orgies y passent inaperçues. Sans doute vous adonnez-vous à la boisson de temps à autre en compagnie de Geffrey le Mauvais, mais je doute que vos distractions communes sortent de ce cadre.

Vous doutez... Vous doutez! Parce que je suis forgeron, ma parole vaut moins que celle d'un aristocrate!

– C'est une evidence, intervint Lord Waking. Si vous en teniez compte, Thomas, votre existence serait plus facile.

– Je ne travaillerai pas pour vous, dit le forgeron. Vous êtes un exploiteur.

– Ne racontez pas n'importe quoi. En refusant de venir au château, vous perdez beaucoup.

– Pourquoi ne pas me convertir à la religion de votre pasteur, pendant que vous y êtes? Ça compléterait le tableau!

– Nonobstant vos déplorables écarts de langage, déclara le pasteur, je ne désespère pas d'y parvenir un jour, mon cher Thomas. Vivre sans cesse dans le péché n'est pas une solution convenable.

Vous ne manquez pas de culot, s'étonna Thomas Lingham. Je vous ai promis que je vous réduirai en charpie si vous continuez à m'ennuyer avec vos bondieuseries. Je crois que je vais le faire...

Higgins saisit le colosse par le bras gauche.

Cessez vos simagrées, monsieur Lingham, et ne m'obligez pas à user de la force.

Le forgeron dévisagea Higgins qu'il depassait de vingt bons centimètres. Un seul coup de poing aurait suffi à assommer l'inspecteur. Pourtant, Thomas Lingham ne s'y risqua pas. Il eut la vague sensation qu'il ne parviendrait peut-être pas à terminer son geste. Bien qu'il consentît à peine à se l'avouer, Higgins lui faisait presque peur.

– Vous detestiez Jason Laxter, rappela Higgins qui lâcha l'artisan, et vous l'avez proclame haut et fort. Vous désapprouviez la volonte de progrès qui s'incarnait en lui. Pour vous, une seule règle : ne rien changer. Vos accusations etaient sans nuances : d'après vous, Jason Laxter aurait tout bonnement detruit le village par ses innovations inopportunes.

Je souhaitais son echec, pas sa mort...

— Vous battez en retraite, constata l'ex-inspecteur-chef.

On ne s'est pas querellés, tous les deux... On ne s'aimait pas, voila tout... Qu'est-ce que vous allez chercher...

A la surprise generale, le colosse etait en train de s'amollir en public. Non seulement, il perdait son agressivité mais encore il tentait de prendre une petite voix qui ne correspondait pas a sa stature.

Il existe une deplorable habitude a Druxham, indiqua Higgins : personne ne dit spontanement la verité. Cela complique la tâche du Yard. Vous n'echappez malheureusement pas a la regle, monsieur Lingham. Accepteriez-vous de nous faire gagner du temps en avouant enfin vos forfaits?

Je suis innocent. C'est tout.

Higgins soupira et consulta une nouvelle fois ses notes. Personne ne l'aiderait pendant cette enquete. Il en prenait son parti.

Vous detestiez Jason Laxter, continua l'ex-inspecteur-chef et vous haïssiez aussi Mitchell Grant. Vous le jugiez infeode au pasteur, depourvu de toute personnalité, menteur, ruse, lâche et... voleur. Cela tient-il a l'incident que Mitchell Grant m'avait rapporte?

Le forgeron hesita. Il semblait embarrasse.

Certainement...

— Pourriez-vous en rappeler les circonstances, monsieur Lingham?

Eh bien... Cela fait deja un certain temps... Il m'avait vole quelque chose...

— Un objet?

– Voilà.

– Lequel?

Le forgeron réfléchit.

– Une pince, je crois...

- Non, monsieur Lingham. Cherchez mieux.

– Des tenailles.

· Non plus.

- Ça n'a aucune importance, après tout! Il m'a volé... c'est moi la victime, pas lui!

– Oubliriez-vous qu'il a été assassiné?

Le forgeron se rapprocha de Geffrey le Mauvais qui avait retrouvé son inertie naturelle.

– Ce n'est pas un objet que Mitchell Grant vous a volé, affirma Higgins, mais un secret auquel vous teniez plus qu'à tout. Mitchell Grant m'a menti en me racontant qu'il vous avait dérobé un marteau et vous avez tenté de me faire croire à une fable comparable. Certes, vous l'avez frappé. Et vous l'avez sans aucun doute menacé de le tuer s'il continuait à vous espionner et surtout s'il révélait ce qu'il avait vu. N'auriez-vous pas mis cette menace à exécution, monsieur Lingham?

· Bien sûr que non! Et je n'ai aucun secret qui justifie un crime!

Thomas Lingham reprenait une certaine assurance, comme si la tempête qu'il avait redoutée s'éloignait de lui. Le superintendant eut la désagréable sensation que Higgins venait de passer à côte d'une piste importante. Un relatif pessimisme l'envahit. Et si cette reconstitution échouait? S'ils quittaient cette clairière en n'ayant pas réussi à identifier l'assassin de Jason Laxter et celui de Mitchell Grant?

« Fermons la bouche aux imprecateurs, pensa Higgins, légèrement sentencieux. jusqu'à ce que nous ayons pu eclaircir ces mystères et en connaître la source. la cause et l'enchaînement ». (1) se rappelant une recommandation du grand Will que tout inspecteur du Yard se devait de méditer longuement. Il avait précisément devant lui une étonnante assemblée d'imprécateurs qui avaient souhaité mille malheurs à leurs proches. Malheureusement. leurs vœux s'étaient réalisés.

– Beaucoup estiment que vous êtes l'incarnation du diable. monsieur Lingham. rappela Higgins. Lady Emily Waking a fait une curieuse remarque à votre sujet. Elle considère que vous êtes une sorte de paratonnerre pour Druxham.

Qu'elle dise ce qui lui plaît... Moi. ça ne me touche pas.

– Bien sûr que si. estima Higgins. Si vous fréquentez le diable. c'est que vous attirez sur vous des forces négatives. N'aimeriez-vous pas jouer les spectres. par exemple?

Thomas Lingham ouvrit des yeux étonnés :

– Je ne comprends pas... Qu'est-ce que ça signifie?

– Le démon rôde depuis toujours dans la forêt de Druxham. révéla Lady Waking. Les plus anciennes chroniques le mentionnent. Jusqu'à présent, il s'était contenté de pervertir les pucelles et de rendre fous les étrangers qui venaient troubler notre quiétude. Il ne s'était pas encore permis d'étrangler un propriétaire terrien et un petit sonneur de cloches. De mon point de vue. c'est parfaitement inconvenant.

Je ne saurais que vous approuver, ma chère. dit Lord Waking. Je rappellerai également qu'il fait nuit. que le froid s'accentue et que notre rang nous donne droit à être mieux traités. Vos supérieurs sauront qui je suis. Inspecteur.

(1) William Shakespeare. *Roméo et Juliette*. Acte V. Scène III

Ça vous fait du bien de goûter un peu à la terre, ironisa Geffrey le Mauvais. Dans votre château, vous ignorez ce qu'est la vie. Ici, il y a le vent, l'eau, les arbres. C'est bon d'avoir froid et de goûter la nuit. Vous les voyez de près, les villageois que vous méprisez tant, vous êtes obligés de les subir... Difficile, hein?

- Gardez vos insultes pour vous, se rengorgea Lord Waking. Vous n'êtes qu'un vagabond.

Sûrement pas. Mylord! J'ai mon domaine, moi aussi. Et vous vous tremblez de peur à cause de ce que Scotland Yard va découvrir. Ce n'est pas tellement beau, hein?

· Faites taire ce va-nu-pieds, Inspecteur! exigea l'aristocrate.

Lady Waking restait parfaitement calme, presque indifférente aux agressions de l'ouvrier agricole.

- Personne n'aime personne, à Druxham, constata Higgins. Il y a quand même une amitié... Celle qui unit Geffrey le Mauvais et Thomas Lingham. Une amitié des plus intéressantes...

Les deux hommes se regardèrent. Mus par un réflexe commun, ils reculèrent, comme s'ils voulaient échapper à la lumière des torches pour s'enfoncer dans les ténèbres. Croyant à l'amorce d'une tentative de fuite, Scott Marlow se déplaça pour leur couper le chemin. L'ouvrier agricole et le forgeron n'allèrent pas plus loin.

Le superintendant était persuadé que son collègue allait les accuser de complicité et démontrer qu'ils avaient perpétré ensemble les deux crimes. Mais Higgins se detourna d'eux pour se diriger vers Bettina Laxter.

La jeune femme portait une robe fourreau noire et un manteau de vison. Autour du cou, un collier de jade. Au poignet droit, un bracelet en or. Sa

beauté était rayonnante, l'expression de son visage
indéchiffrable. Qui aurait pu deviner qu'elle
venait de perdre son mari et que la tristesse
déchirait son cœur?

J'ai vraiment froid, Inspecteur. Je ne sais pas
pourquoi je suis ici. J'aimerais rentrer le plus vite
possible.

- Je ferai de mon mieux pour vous éviter des
désagréments, assura Higgins, mais il est certains
d'entre eux que je ne peux supprimer. Dois-je
vous rappeler que vous êtes la femme de la
victime et qu'à ce titre, vous possédez sans doute
des informations capitales dont vous n'êtes peut-
être pas consciente?

- Je ne sais rien, Inspecteur, rien du tout... Si je
possédais le moindre indice permettant d'identifier
l'assassin de mon mari, ne vous le donnerais-je
pas immédiatement?

Higgins ne répondit pas. Il abordait l'un des
moments les plus délicats de sa difficile partie
d'échecs contre un ennemi d'autant plus redoutable qu'il était sûr de son bon droit. Ce n'était pas
a coup de preuves matérielles que l'ex-inspecteur-
chef l'amènerait à se dévoiler. Il devait le mettre
en condition, lui asséner des coups répétés avant
de porter une estocade qu'il espérait décisive.

Scott Marlow n'était pas mécontent de voir
enfin abordé le cas de Bettina Laxter. Cette
femme l'intriguait. Elle était belle, certes, et possédait une classe indéniable, mais ses yeux verts ne
cachaient-ils pas un secret inavouable? Tous les
manuels de criminalité le démontraient : neuf fois
sur dix, lorsqu'un mari était assassiné, la meurtrière n'était autre que son épouse.

Au village, on ne vous aime pas beaucoup,
madame Laxter, rappela Higgins, marchant de
long en large devant la jeune veuve frigorifiée.

Vous êtes une grande dame de la ville. Geffrey le Mauvais vous reproche vos manières et votre élégance.

– Son opinion m'est indifférente. Je n'aime pas non plus Druxham. A propos de cet homme, je vous ai dit...

– Il remarque que vous n'éprouvez pas le moindre goût pour la campagne, l'interrompit-il. Pour lui, qui n'est pas proche de la terre l'est du diable. Vous sentez-vous proche du diable, madame Laxter?

La question stupéfia la jeune femme.

– Le diable... Ça n'existe pas! Je ne veux pas en entendre parler!

D'après Lady Waking, vous n'avez guère de moralité, madame Laxter.

La jeune femme regarda la vieille aristocrate avec mépris.

C'est ainsi que vous me trahissez en me calomniant, Lady Waking... C'est indigne...

La châtelaine ne tourna même pas la tête.

– L'heure n'est plus au babillage, ma fille, laissa-t-elle tomber. Assumez vos responsabilités.

Bettina Laxter jeta des regards affolés, dans toutes les directions, comme un animal pris au piège.

Mes responsabilités... Quelles responsabilités?...

– Il est un point sur lequel vous ne contesterez pas le jugement de Lady Waking, indiqua Higgins. Elle vous a qualifiée de menteuse.

– C'est ignoble! protesta la veuve. Cette femme m'avait correctement reçue, et voici qu'elle me traîne dans la boue!

– Elle vous a reçue, précisa Higgins, mais pas vendredi soir. Le soir du crime. Vous m'avez effectivement menti, madame Laxter et vous vous êtes empêtrée dans vos mensonges. Pourquoi m'avoir affirmé que vous dîniez chez les Waking, sinon pour dissimuler une activité inavouable?

– Pas du tout... Je ne me souviens plus, je vous l'ai dit. J'étais fatiguée, je me suis endormie...

Higgins relut une page de son carnet.

– Vous prétendez avoir vu votre mari pour la dernière fois vendredi midi. Ensuite, jusqu'au moment où nous vous avons annoncé sa mort, samedi soir, vous ne vous êtes plus préoccupée de lui. Ne trouvez-vous pas cela étrange, de la part d'une jeune femme qui se prétend amoureuse?

– Jason était toujours occupé par cette maudite ferme, je vous l'ai déjà expliqué... Quand il n'était pas dans un champ, il travaillait dans son atelier ou réparait une machine.

– Ne rentrait-il pas dîner?

– Parfois, il oubliait.

– Ce fut donc le cas vendredi soir?

– Oui.

– Donc, votre mari n'est pas rentré dîner, vous vous êtes couchée, vous vous êtes endormie. Samedi, vous ne vous êtes pas inquiétée de son absence.

– Le samedi était le pire des jours. Il se levait avant l'aube et partait pour le champ le plus inonde d'Evillodge, au bas du domaine. Eté comme hiver, l'endroit est rempli d'eau.

– Est-ce bien exact? demanda Higgins à Geffrey le Mauvais.

– C'est comme ça, répondit l'ouvrier agricole. Ça ne varie pas depuis des siècles. Je l'ai expliqué à Laxter, mais il a refusé de me croire. Il voulait assécher cette terre par n'importe quel moyen.

– A quel moment, vous, son employe, avez-vous réellement vu Jason Laxter pour la dernière fois?

Cinglante, la question de Higgins parut un instant prendre au dépourvu Geffrey le Mauvais. Sa voix vacilla légèrement mais retrouva vite son ton monocorde.

- On ne se voyait pas souvent... Lui travaillait dans son coin, moi dans le mien...

Repondez a ma question, exigea Higgins.

Laxter avait planté des épouvantails, çà et là. Dans la pénombre pas facile de savoir s'il s'agissait de l'un d'eux ou de mon patron.

- Il existe une différence notable entre un épouvantail et un homme : le premier est immobile, pas le second. Vous moquer de Scotland Yard n'est pas la meilleure des solutions. Pourquoi refusez-vous encore de me repondre?

- Parce que je n'ai pas de mémoire. Certaines choses ne regardent que moi.

- Plus pour longtemps, prophétisa Higgins qui se tourna a nouveau vers la veuve. Madame Laxter, maintenez-vous votre vision des faits et certifiez-vous votre emploi du temps?

Bettina Laxter avala sa salive et se calfeutra dans son manteau.

Oui, Inspecteur.

Vous continuez donc a mentir. J'ignore si ce village est maudit, mais il engendre à coup sûr des caractères obstinés. Chacun reconnait votre grande beauté, madame Laxter. Elle est un don, mais peut aussi devenir un malheur. Le pasteur Roger Wood a montré un remarquable manque de psychologie en m'affirmant que vous et Jason Laxter formiez un couple très uni.

Non... c'était... c'était...

Les mots demeurèrent dans la gorge de la jeune veuve.

- C'était vrai, poursuivit Higgins Mais cette verite-la appartient au passé. Lady Emily vous avait bien jugée en constatant que votre beauté faisait s'effondrer les esprits forts. Geffrey le Mauvais avait estimé qu'une femme de votre genre ne pouvait être une bonne epouse. Trop préoccupée de vous-même, ajoutait Agatha Herald, trop bien habillée, trop maquillée, indifférente au travail de Jason Laxter, incapable de l'aider...

Ne vous préoccupez pas des ragots diffusés par cette vieille fille! protesta Bettina Laxter. Vous avez vous-même découvert qu'elle était amoureuse de mon mari. Elle fera tout pour me nuire.

Je ne cherche plus a nuire a quiconque, déclara l'institutrice d'une voix brisée. Même si justice est faite, cela ne ressuscitera pas Jason... Mais vous êtes coupable, madame Laxter, si coupable...

Ne l'écoutez pas. Inspecteur! cria Bettina hors d'elle. Ma parole vaut bien la sienne!

- Gardez votre sang-froid, recommanda Higgins. Ce n'est plus une question de paroles, mais de faits. Votre mari était passionné par son idéal, enivré par lui. Il lui a fait oublier tout le reste... vous comprise. Il a négligé une femme jeune et belle, n'a plus tenu compte de ses désirs. Il vous a obligée à vivre dans des conditions qui vous déplaisaient.

Je les ai acceptées, dit Bettina Laxter avec calme.

Dans un premier temps, oui. Ensuite, vous avez commencé a vous ennuyer, puis a souffrir, puis à vous revolter. Une révolte a votre manière, d'abord bien éduquée, avec quelques protestations, puis avec des questions... Jason Laxter ne vous a ni écoutée ni comprise. Il avait trop de travail, trop de soucis. Lui aimait cette boue et

cette humidité que vous detestiez. Mais en vous
subsistaient la jeunesse et ses désirs... Votre deci-
sion ne fut pas facile à prendre.

Les yeux verts de la jeune femme se troublè-
rent.

J'ignore comment les choses se sont passees,
poursuivit Higgins. Le hasard d'une rencontre,
sans doute. Deux regards qui se croisent, un
attrait réciproque, une sorte de coup de foudre
entre une superbe jeune femme qui s'ennuie et un
homme seul, mais sûr de sa puissance... La fusion
presque inévitable d'une feminite rayonnante et
d'une virilite triomphante. Qu'en pensez-vous,
monsieur Lingham?

Moi? Mais pourquoi moi?

Thomas Lingham avait presque hurle. Même
Lady Emily Waking consentit à tourner legère-
ment la tête vers la droite pour decouvrir l'expression enfievrée du forgeron.

J'avoue, dit Higgins, avoir commis une erreur
en ne prenant pas au serieux les revelations de
Mlle Herald a propos d'une liaison entre vous et
Bettina Laxter. Je les ai considerees comme une
simple expression de jalousie. Pourtant, elle disait
vrai. Lorsque je vous ai demande si vous aviez
connu l'amour, monsieur Lingham, votre reaction
fut anormale et excessive. J'ai même declenche
votre fureur en citant le nom de Mme Laxter.
Vous avez nie la connaitre. En realite, vous etes
tombe follement amoureux d'elle. Sa presence a
illumine votre existence. Jamais vous n'auriez
imagine connaitre une pareille aventure

Thomas Lingham et Bettina Laxter oserent
enfin se regarder. Leur complicite ne dura qu'un
instant, mais ce dernier suffit a Higgins pour
comprendre qu'il ne s'etait pas trompe.

CHAPITRE XIX

— Selon le témoignage de Mlle Herald, indiqua Higgins, c'est vous madame Laxter, qui vous rendiez, a la nuit tombée, a la forge de Thomas Lingham. Ce dernier m'a certainement menti en m'affirmant qu'il avait travaillé toute la nuit du vendredi, de même que Bettina Laxter a menti en déclarant s'être couchée de bonne heure ce même soir. En réalité, elle a rejoint son amant.

Le forgeron fit un pas en avant.

— Vous n'avez aucune preuve, Inspecteur.

Higgins s'approcha de Bettina Laxter et la regarda droit dans les yeux.

— Osez prétendre le contraire, madame Laxter. Osez le prétendre ici, au pied du chêne où a été pendu votre mari.

La jeune femme baissa la tête.

— Je suis la maîtresse de Thomas Lingham. C'est moi qui l'ai provoqué. Je m'ennuyais tant, à Evillodge... Dix fois, cent fois, je m'en suis plainte à Jason... Il ne m'a pas écoutée. Il y a un mois, environ, il n'était pas rentré pour dîner. J'ai eu un coup de cafard. Je suis descendue au village, sans idée préconçue, sans savoir ou j'allais... Je n'ai rencontre personne, il faisait noir... Je suis arrivée

devant la forge. Il y avait une lumière rouge qui
en sortait. Je me suis approchée, intriguée.. Et je
l'ai vu, lui, le forgeron.. Il était torse nu, avait les
mains noircies, des brûlures sur le torse et sur les
bras... Nous n'avons pas prononce un seul mot, il
m'a prise dans ses bras, m'a soulevée de terre et
m'a emmenée dans sa forge. Je ne me suis pas dé-
fendue. Ensuite, sa présence, son corps me sont
devenus indispensables. Il faut me pardonner..
Jason n'avait plus le temps de s'occuper de moi.

Bettina Laxter demeurait prostrée. Thomas
Lingham la prit dans ses bras.

- N'y touchez pas. Elle est à moi.

Cette prise de possession ne concernait pas
directement l'enquête. Higgins ne sépara pas les
amants.

- Je suis certain que, vendredi soir, Bettina
Laxter s'est rendue à la forge pour y passer une
partie de la nuit. Reste une question essentielle : à
l'heure du crime, les amants etaient-ils encore
ensemble ou s'etaient-ils deja separes?

- J'ai regagne Evillodge bien après minuit,
affirma Bettina Laxter.

- C'est vrai, corrobora le forgeron. Vous devez
nous croire. Nous etions ensemble.

- Vous me permettez d'être sceptique, dit Higgins. Après tous ces mensonges... Si vous dispo-
siez d'un témoin, peut-être...

- Il y en a un, intervint Geffrey le Mauvais.
Moi.

Higgins se tourna vers l'ouvrier agricole.

- Vous vous décidez enfin a parler...

- Je ne voulais pas trahir mon ami Thomas. A
présent, c'est different Je dois l'aider.

- Qui avez-vous vu?

- Bettina Laxter a quitte Evillodge à la nuit
tombee, peu après l'heure habituelle du diner. Son

mari était encore à l'atelier. Je l'ai vue l'observer un long moment avant de partir par les bois. Elle était certaine qu'il passerait là la plus grande partie de la nuit, comme d'habitude.

– Vous étiez donc au courant de la liaison entre Mme Laxter et Thomas Lingham?

Geffrey le Mauvais hocha la tête affirmativement. Il fumait tranquillement sa pipe, à bouffées régulières. Scott Marlow surveillait de près l'ouvrier agricole. Son étrange personnalité recelait encore bien des mystères.

Mitchell Grant m'avait menti, estima Higgins. Il n'avait pas volé un objet dans la forge. Il avait surpris Bettina Laxter dans les bras du forgeron. Ce secret-là, il l'a payé de sa vie.

C'est faux, protesta le forgeron. Je l'ai menacé, c'est vrai... Mais je lui ai fait suffisamment peur pour le dissuader d'aller répandre son venin dans tout le village. Mitchell était un lâche, ne l'oubliez pas!

– Il est quand même mort étranglé, ne l'oubliez pas non plus.

L'ex-inspecteur-chef feuilleta plusieurs pages de son carnet noir. Agatha Herald s'approcha de lui. Craignant une action désespérée, Scott Marlow ordonna aux deux policiers d'encadrer la demoiselle.

– Inspecteur, j'ai une confidence à vous faire.

– Je vous écoute, mademoiselle Herald.

– Mon témoignage était complètement inventé. Je n'ai pas vu Bettina Laxter entrer dans la forge. J'ai imaginé cette scène. Je voulais nuire à Bettina Laxter.

– Merci de votre sincérité. Mais elle ne modifie pas la vérité qui correspondait exactement à votre imagination.

Marlow vit la fureur animer les traits du forgeron. Il aurait pu continuer à nier. Cette maudite infirmière lui avait joue un mauvais tour.

Higgins considéra les amants et l'ouvrier agricole. Il s'adressa à ce dernier.

— A quelle heure est rentrée Mme Laxter?

— Je l'ignore. Si vous travailliez la terre, vous sauriez qu'il faut se coucher tôt.

— Ce n'était pas le cas de Jason Laxter, objecta Higgins. Il se couchait tard et se levait tôt.

Il se serait rapidement tué à la tâche. Moi, je dure depuis des générations.

— N'avez-vous rien entendu?

— Si. Deux bruits de porte qu'on ouvre et qu'on ferme, le premier vers 11 heures. Le second après minuit.

— Comment saviez-vous l'heure?

— Pas besoin de montre. Je connais ce domaine et ses saisons, ses jours et ses nuits.

— A 11 heures, conclut Higgins, Jason Laxter serait donc sorti de chez lui. Apres minuit, Bettina Laxter serait rentrée. A en croire vos déclarations, à tous trois, vous êtes innocents. Mais vous avez tellement menti... Et si Geffrey le Mauvais et Thomas Lingham s'étaient associés dans le crime? Si Thomas Lingham avait assassiné Jason Laxter, l'homme qui volait la terre de son ami, si Geffrey le Mauvais l'avait remercie de ce service en assassinant Mitchell Grant, le garçon qui risquait de révéler au Yard que la femme de Jason Laxter avait un amant?

C'est impossible, Inspecteur, intervint Bettina Laxter. A l'heure du crime, je me trouvais avec Thomas.

Admettons. Il y a une autre possibilité... Mitchell Grant serait l'assassin de votre mari. Il l'aurait tue par jalousie. Et vous, qui pouvez faire preuve de violence, vous vous seriez vengée en assassinant le sonneur de cloches.

– Je... Je vous jure que non...

Higgins la regarda en souriant.

– Vous avez longtemps été un excellent suspect, madame Laxter. Mais mes présomptions se sont heurtées à certaines réalités. Vous aviez de l'affection pour le petit sonneur de cloches. Il vous a émue. En lui demandant de rompre son amitié amoureuse, vous tentiez de le mettre à l'abri d'une colère de votre mari. Ce n'est pas le comportement d'une criminelle... Et si vous aviez été complice de Mitchell Grant pour vous débarrasser de Jason Laxter? Impossible, car vous n'étiez pas amoureuse de ce jeune homme mais bien du forgeron.

– Cela me paraît insuffisant pour innocenter Bettina Laxter de manière définitive, estima Lady Emily.

– Il existe d'autres indices que je considère importants, poursuivit Higgins. Mme Laxter s'est immédiatement élevée contre l'idée du suicide. Coupable, elle aurait probablement tenté de l'accréditer. Je crois qu'elle aimait Jason Laxter et qu'elle est amoureuse de Thomas Lingham. Voici l'épreuve cruelle qu'elle traverse.

Bettina Laxter s'effondra sur l'épaule du forgeron. Elle ne put contenir plus longtemps un flot de larmes.

– Enfin, conclut Higgins, le mensonge de Mme Laxter concernant son emploi du temps de vendredi dernier était d'une naïveté désarmante. Comme il n'y avait aucune complicité entre elle et les châtelains, vérifier ses déclarations était des plus faciles et m'amènerait vite à constater qu'elle ne disait pas la vérité. Mais je sais aussi que Mme Laxter a tenté de se punir elle-même en jouant un rôle dangereux. Elle aime sincèrement Thomas Lingham mais elle regrette profondément d'avoir trompé son mari. Madame Laxter, avez-vous annoncé à Geffrey le Mauvais que vous alliez vendre Evillodge ?

— Non, répondit la veuve entre deux sanglots.

— C'est bien ce que je pensais. Comme vous étiez persuadée que Geffrey était l'assassin de votre mari et qu'il continuerait de tuer quiconque empiéterait sur son domaine, vous avez décidé de lui servir d'appât. Même si vous deveniez sa victime, vous espériez que Scotland Yard finirait par arrêter l'assassin de votre mari. Vous avez en même temps envie de vivre et de mourir, madame Laxter.

— Elle restera avec moi, assura le forgeron. Geffrey gardera Evillodge. Bettina n'y retournera jamais.

Higgins délaissa les amants et vint se placer aux côtés de Lady Emily qui contemplait « le Juge éternel ».

— Cette solution vous paraît-elle équitable, Mylady ?

— Elle n'a pas mon agrément, Inspecteur, car elle est contraire à la morale publique. Ce genre de scandale n'est pas admissible.

— Les temps changent.

— Je ne l'admets pas. Quiconque admet ce changement collabore à la destruction morale de notre pays.

— Peut-être avez-vous raison, avança prudemment l'ex-inspecteur-chef, mais il faut tenir compte de la réalité. La rumeur publique prétend que Lord Waking et vous-même vivez dans le passé et n'aimez que lui. J'ai vu de près votre château. Il témoigne de votre ruine.

— Ce n'est qu'une mauvaise période, Inspec-

teur. Bientôt, la gloire du château resplendira
comme avant. Des dizaines de domestiques nous
serviront à nouveau.

- Nul ne connaît l'avenir, reconnut Higgins.
Certains prétendent que vous et votre époux êtes
d'excellents comédiens. Feriez-vous semblant de
ne vous apercevoir de rien?

D'une certaine manière, sans doute. Tirez-en
les conclusions qui vous plairont.

Higgins lissa sa moustache noire et blanche,
légèrement hérissée par un vent tourbillonnant qui
rafraîchissait la température nocturne.

L'une d'elles s'est imposée au village, Lady
Emily : les Waking sont la tradition. Jason Laxter
était la novation. Il vous portait ombrage. Lui, en
revanche, vous admirait.

Que faire de l'admiration d'un homme
comme celui-là?

- Druxham est votre véritable descendance,
rappela Higgins. Jason Laxter menaçait votre
suprématie. Il aurait acquis d'autres terres, peut-
être même le château.

Bien sûr que non, Inspecteur. Laxter était en
train de se ruiner. S'il n'avait pas été assassiné, il
aurait été contraint de quitter Druxham.

Higgins se pencha vers la chaise diabolique et
prit dans la main droite la lame du tarot représentant un pendu.

Votre mari, Lady Emily, dit de vous que
vous avez un tempérament un peu mystique.

La vieille aristocrate sourit.

J'ai demandé à nombre de protagonistes de
cette affaire s'ils pratiquaient le tarot, indiqua
Higgins. Aucune d'entre eux ne m'a répondu de
manière positive. Jason Laxter, d'après son
épouse, ignorait tout de ce jeu de cartes cher aux

occultistes. Ce qui n'est pas votre cas, Lady Emily...

Ce qui n'est pas mon cas, en effet, avoua la vieille aristocrate.

– Ma chère, intervint Lord Graham Waking, il serait peut-être bon...

Laissez, mon ami. Il est temps de savoir parler.

– Je me demande quand même si...

– Continuez à m'accorder votre confiance, Graham. Nous parlions donc tarot, Inspecteur. C'est une science que j'affectionne, en effet. Je la pratique depuis de nombreuses années et j'y puise de nombreux enseignements. Quand Jason Laxter s'est installé à Evillodge et a annoncé son intention de moderniser Druxham, j'ai tiré le tarot pour connaître son destin.

– La carte que vous avez élue était le pendu, n'est-ce pas?

– Le pendu, oui... Ce fut une surprise inquiétante. Dès ce moment, je savais que l'on retrouverait ce Laxter pendu.

– L'avez-vous averti?

– A quoi bon? Ce genre d'homme ne croit pas les avertissements donnés par les sciences occultes.

– Ou rangez-vous votre jeu de tarots, Lady Emily?

– D'ordinaire, il est étalé sur mon lit.

– Ce n'était pas le cas lorsque je vous ai rendu visite.

– Lord Graham m'a demande de le cacher.

– Ou?

– Dans l'une des cuisines du château.

– Pour quelle raison?

– Parce que je lui avais demandé de mettre la lame du tarot dans la poche de Jason Laxter.

– Mort ou vivant?

La vieille aristocrate regarda Higgins avec étonnement.

Vivant, bien sûr... C'était la meilleure manière de l'effrayer et de le contraindre à quitter Druxham.

Higgins consulta à nouveau ses notes. Il rectifia l'une de ses hypothèses. Il avait supposé que la châtelaine aurait eu assez d'énergie pour se rendre au « Juge éternel » et y déposer elle-même la carte sur le cadavre. La réalité s'annonçait quelque peu différente.

– Vous terrorisiez Mitchell Grant, révéla Higgins. Il redoutait vos pratiques occultes. Lui auriez-vous jeté un sort quelconque?

– A ce malheureux garçon? Pourquoi aurais-je agi ainsi? Les cloches font partie de la vie d'un village. Leur absence me manque déjà cruellement. Me croyiez-vous capable d'agir contre mes propres intérêts?

Scott Marlow comprenait mal pourquoi Higgins s'attardait sur le cas de cette vieille Lady bien incapable d'étrangler Jason Laxter, de le porter et de le pendre. Sans doute s'agissait-il d'une diversion. Mais l'ex-inspecteur-chef s'acharna en s'adressant à Lord Graham Waking.

– Dès le début de cette enquête, indiqua l'ex-inspecteur-chef, j'ai supposé que Druxham était l'enjeu d'une lutte impitoyable entre les châtelains et le nouveau propriétaire d'Evillodge. Le forgeron lui-même a prononcé l'expression « règlement de comptes » et Geffrey le Mauvais a accusé le couple Waking d'avoir assassiné Jason Laxter. Sans être aussi directe, Agatha Herald partageait cette opinion. Seul le pasteur a défendu les châtelains. Il a nié l'existence d'un complot fomenté par Lord et Lady Waking contre Jason Laxter.

J'espere que vous le croyez, dit Lady Emily, acide. Ces accusations sont ridicules. Nous n'avions pas besoin de recourir à de basses manœuvres pour ecarter ce Laxter.

Le rôle exact de Lord Waking reste quelque peu obscur, exposa Higgins. Ne nous aurait-il pas caché des informations essentielles?

Lord Graham s'appuya davantage sur sa canne.

J'aurais dû vous parler de cette carte de tarot, en effet... Une simple pudeur.

— Quand l'avez-vous glissée dans la poche de Jason Laxter?

— Eh bien... c'était un apres-midi, il pleuvait et je...

Epargnez-nous un mensonge, Lord Graham. Expliquez-nous plutôt pourquoi le cadavre de Jason Laxter portait des chaussures impeccablement cirées.

Je... Je n'en ai pas la moindre idee.

Lady Emily regarda son époux avec un certain mepris.

Pourquoi vous troublez-vous ainsi, mon ami? Auriez-vous quelque chose de grave à cacher à la police?

Bien sûr que non, ma chere... Cet inspecteur divague...

Puisque vous vous obstinez a garder le silence et a insulter Scotland Yard, déclara Higgins, vous me contraignez a révéler ce qui s'est passé. J'en ai eu l'intuition quand vous m'avez invité au château, après notre promenade. Vous vous êtes absente peu de temps et vous êtes revenu tout à fait impeccable, de la tête aux pieds. J'ai noté que vous marchiez d'un fort bon pas, pour un homme de votre âge et que vous conserviez une remarquable vigueur.

– Un banal entraînement quotidien...

– Avec une grande attention pour votre maintien, votre habillement et donc pour vos chaussures. Une manie... J'ai songé à une manie. J'ai donc décidé de vous observer dans votre cadre naturel, le château. Vous avez une passion cachée, Lord Graham : cirer les chaussures. Les vôtres comme celles des autres, même celles des domestiques.

– Qu'est-ce à dire, mon ami? s'indigna Lady Emily. D'où vous vient cette ridicule manie que vous m'avez toujours cachée?

– De mon père... Il m'obligeait, chaque soir, à cirer toutes les chaussures du château. Le meilleur exercice pour le corps et pour l'esprit, prétendait-il. L'habitude m'est restée. C'est ridicule, je sais... Mais il n'y a aucun rapport avec la mort de Laxter. Si ses chaussures étaient cirées, c'est une simple coïncidence.

Vous savez bien que non, objecta Higgins. C'est vous qui avez ciré les chaussures de Jason Laxter, c'est vous qui avez placé dans sa poche la figure du pendu... Avant ou après l'avoir tué?

Le vieux Lord serra sa canne à la briser.

– Cette question est une infâmie, Inspecteur! Je ne veux même pas l'entendre!

– Elle est pourtant bel et bien posée, Lord Graham. Plusieurs personnalités du village vous mettent en cause. Votre profonde inimitié pour Jason Laxter, un concurrent dangereux, était affichée. Quelle solution aviez-vous, sinon de l'éliminer? Il ne se méfiait pas de vous, il vous admirait. Vous lui avez fixé rendez-vous ici-même au pied du « Juge éternel » et vous l'avez attaqué par surprise. Ensuite, vous l'avez pendu.

Lord Waking parut désemparé.

– Emily, ma chère... Expliquez à cet inspecteur que ce qu'il raconte est dépourvu de sens...

— Vous connaissiez parfaitement la forêt, Lord Waking, vous marchez vite, vous aviez la lame de tarot et vous avez ciré les chaussures, résuma Higgins. De plus, le sonneur de cloches avait peur de vous. Il vous fuyait dès qu'il vous apercevait. Mais il vous espionnait, comme les autres. Il vous a vu partir dans la forêt, en compagnie de Jason Laxter. Ensuite, il vous a fait chanter. Et vous avez été contraint de le supprimer, lui aussi. Il m'a confié que vous l'aviez déjà agressé, avec votre canne, et que vous frappiez fort. Est-ce inexact?

— Non, mais ce garnement se comportait parfois comme un vaurien et il a mérité de...

Lord Waking s'interrompit, conscient de proférer une énormité.

— Je vous l'avais bien dit, souligna Geffrey le Mauvais. C'est lui l'assassin.

— C'est faux! protesta le châtelain, retrouvant toute sa hargne. Vous n'avez pas le droit d'écarter mes alibis, Inspecteur. Le soir de l'assassinat de Laxter, je me trouvais au château, comme je vous l'ai dit. Le jour du meurtre de Mitchell Grant aussi. Lady Emily peut en témoigner. Mon domestique également.

Higgins regarda la châtelaine.

— Confirmez-vous les déclarations de votre mari?

— Oui, Inspecteur.

Le vieux Lord brandit sa canne, irrité.

— J'ai commis une faute, je le reconnais. J'ai cru bon de vous cacher que, samedi matin, je ne me suis pas promené dans le parc du château. J'ai eu envie de faire une longue marche en forêt et de revoir son plus bel arbre, le « Juge éternel ». Je ne me doutais pas de l'horrible spectacle que j'allais découvrir... Dans ma poche, j'avais la carte du pendu que mon épouse m'avait chargé de glisser dans celle de Laxter pour l'effrayer et le persuader de quitter le village. Je ne savais vraiment pas comment m'y prendre... Quand j'ai découvert son cadavre, j'ai failli perdre connaissance. Puis j'ai songé aussitôt a nettoyer ses chaussures.

– Aviez-vous du cirage sur vous?

– J'ai toujours une petite boîte et un chiffon propre, avoua le châtelain. En cas de nécessité absolue..

Vous avez donc profité des circonstances, ajouta Higgins, pour vous acquitter de la mission confiée par Lady Emily.

– Cela peut paraître honteux...

– Avez-vous pensé à examiner les lieux? demanda Higgins.

– Non, Inspecteur. Le temps de cirer les chaussures, et je me suis enfui. J'avais trop peur. Mais j'avais eu l'impression de rendre le cadavre plus présentable.

Higgins abandonna le vieux Lord pour se placer au pied du grand chêne.

– Deux personnes sont venues ici samedi matin Agatha Herald et Lord Waking. Pour des raisons différentes, elles ont garde le silence sur leur macabre decouverte. Mais elles n'ont rien trouvé d'essentiel. Je vous ai tous soupçonnés à des degrés divers, mais je n'ai rien pu prouver

Scott Marlow n'en croyait pas ses oreilles. Higgins n'était-il pas en train de reconnaître publiquement son échec et de ridiculiser le Yard?

– Il ne reste qu'une solution, annonça l'ex-inspecteur-chef : il s'agit d'un crime rituel.

CHAPITRE XX

Scott Marlow eut envie de se voiler la face. Il ne détestait rien tant que les meurtres rituels. Mobiles impalpables. assassins fous. enquêtes se noyant dans les sables. indices incompréhensibles... Rien ne valait un bon crime passionnel.

- Rendons-nous a l'évidence. demanda Higgins. Un pendu, un bouquet de bruyère séchée. des bottes cirées, une bible, une lame de tarot, une chaise maléfique.. Ce bric-à-brac évoque un assassinat commis par une secte. En existe-t-il une. dans les environs?

- Pas a ma connaissance. répondit le pasteur.

- Jamais entendu parler, ajouta Lord Waking.

- Vous vous méprenez estima l'ex-inspecteur-chef. La secte. C'est Druxham. Le forgeron m'avait prevenu : le village a sa propre loi. Il a rejeté Jason Laxter. C'est lui qui l'a tue, c'est lui qui refuse d'identifier son assassin... sans doute parce que vous avez tous menti de nouveau et que vous êtes tous coupables.

Le superintendant sentit la migraine lui assaillir les tempes. Un crime collectif s'ajoutant à un meurtre rituel... Le comble de l'horreur pour un policier du Yard. Des responsabilites diluées, des coupables s'accusant les uns les autres, une verité sans cesse fuyante. Scott Marlow se souviendrait longtemps de Druxham. Il se promettait bien de ne pas retourner de sitôt à la campagne.

Agatha Herald s'avança vers Higgins.

– Je vous jure que je vous ai tout dit, Inspecteur. Je ne sais rien de plus et je n'ai participé à aucun des deux crimes.

Lord Waking haussa les epaules.

– Comment pourrions-nous être complices avec des gens qui sont nos inférieurs! Si j'avais voulu tuer Jason Laxter, je l'aurais provoque en duel. Mais il n'aurait eu aucune chance de survivre.

– Si un tel complot s'était organisé, je m'en serais rendu compte et je l'aurais brisé, déclara Roger Wood. Nul n'a le droit de porter la main sur une créature de Dieu.

– Le tarot n'a jamais tue â distance, affirma Lady Emily.

– Mon unique complice, revéla Geffrey le Mauvais, c'est Evillodge. Plus sûr et plus efficace que n'importe quel être humain.

Le vent s'était levé, mais la nuit demeurait claire. Le grand chêne dressait vers le ciel sa masse importante, juge muet et impartial.

Higgins s'arrêta devant le couple forme par Bettina Laxter et Thomas Lingham.

– Et vous? Pourquoi ne niez-vous pas l'existence de complicités? Parce que vous êtes amoureux l'un de l'autre et que cette complicité-là peut conduire a toutes les folies...

Je n'ai pas tué mon mari, protesta faiblement Bettina Laxter.

– Laissez-la tranquille, exigea le forgeron. Elle est épuisée.

Higgins retourna vers le chêne et considéra la chaise maléfique avec attention.

- Nous n'avons pas encore parlé de cet étrange objet qui pourrait bien nous aider à y voir plus clair.

L'ex-inspecteur-chef examina à nouveau les pieds torsadés et le dossier aux deux énormes cornes pointues le long duquel grimpaient deux diables, comme s'il pouvait lire dans ces symboles maléfiques la solution des enigmes de Druxham.

- Le forgeron m'a indiqué que cette chaise avait été fabriquée par un menuisier qui a vendu son âme à Satan. D'après la legende, tous les propriétaires d'Evillodge qui s'y sont assis ont péri de mort violente. D'après la liste que j'ai consultée, beaucoup, en effet, ont dû tenter cette dangereuse expérience. Personne n'a pu m'affirmer que Jason Laxter les avait imités. Et s'il l'avait fait en secret? Et s'il avait osé s'asseoir, pour défier la superstition? S'il s'était condamné lui-même a mourir tragiquement comme la plupart de ses prédécesseurs?

- Illusion d'optique, jugea Lady Emily. On ne s'étrangle pas tout seul.

- Je suis obligé de me rendre à cet argument, consentit Higgins. La chaise ne peut donc être l'assassin... Il reste qu'elle fait partie de la mise en scène. Son rôle demeure essentiel. Elle était conservée dans une remise d'Evillodge. D'après Mme Laxter, son mari détestait cette chaise et voulait la détruire. Que ne l'a-t-il fait plus tôt... Il serait sans doute encore vivant, aujourd'hui.

Scott Marlow ne comprenait plus. Higgins donnait l'impression de se contredire.

- Tout le monde connaissait l'existence de cette chaise, à Druxham, reprit l'ex-inspecteur-chef.

Elle est l'une des célébrités du village. Pourtant...

Higgins consulta son carnet.

— Pourtant, quelqu'un a osé me déclarer : « Elle a disparu depuis longtemps ». Vous, monsieur Lingham. Pourquoi?

Le forgeron serra plus fort contre lui Bettina Laxter, comme s'il craignait qu'elle ne lui échappât.

C'était simplement un mot malheureux... Je voulais dire que personne ne l'avait vue depuis longtemps.

Difficile à admettre. Vous avez essayé de me faire croire qu'elle n'existait plus parce que c'est vous, sur les indications de Bettina Laxter, qui avez sorti cette chaise de la remise. Vous avez étranglé Jason Laxter à Evillodge, puis vous avez porté son cadavre et la chaise ici-même afin d'accréditer une tentative de suicide. Le mari gênant disparu, vous pourriez vivre le bonheur fou que vous n'aviez jamais osé espérer.

— C'est faux, Inspecteur, complètement faux.

— En ce cas, monsieur Lingham, vous qui êtes un homme fort, approchez de cette chaise. Montez dessus et accrochez la corde à la branche maîtresse d'où pendait le corps de Jason Laxter.

Le forgeron blêmit

— Allons, monsieur Lingham... Vous êtes un homme courageux. Les vieilles superstitions ne vous effrayent pas à ce point. Et puis, vous ne risquez rien. Vous n'êtes pas un propriétaire d'Evillodge. Si ce n'est pas vous qui avez commis ce meurtre et organisé cette mise en scène, pourquoi refuser de prêter votre concours à une reconstitution? Vous n'avez jamais fait ces gestes... Ils ne vous rappelleront rien de désagréable.

– Je... je ne peux pas...

– Pourquoi, monsieur Lingham? insista Higgins. Parce que l'horreur de votre forfait vous remonte à la gorge?

– Non... croyez-moi, je ne suis pas coupable!

– En ce cas, n'hésitez plus. Montez sur cette chaise.

– Je refuse.

Higgins se fit sévère.

– C'est fort ennuyeux, monsieur Lingham... Et cela tendrait à prouver que c'est bien vous qui avez étranglé Jason Laxter et qui avez pendu son cadavre.

– Non! Je vous jure que non!

– Pourquoi la reconstitution vous effrayerait-elle à ce point, sinon parce que vous n'avez pas le courage de répéter votre acte abominable?

– Ça n'a rien à voir avec le meurtre, murmura le forgeron. Je ne peux pas monter sur cette chaise... parce que j'ai le vertige.

Honteux d'avouer son infirmité devant les principales personnalités du village, Thomas Lingham se serra davantage contre Bettina Laxter, cachant sa tête dans le cou de la jeune femme.

– Cela dissipe mes derniers doutes, indiqua Higgins. C'est pourquoi vous avez toujours refusé de monter dans le clocher. Par conséquent, vous n'avez assassiné ni Jason Laxter ni Mitchell Grant.

Les paroles de l'ex-inspecteur-chef ne dissipèrent pas la tension qui régnait dans la clairière, bien au contraire. Chacun s'attendait à ce qu'il identifiât enfin le criminel. Scott Marlow se demandait avec angoisse si Higgins n'avait pas complètement échoué dans son enquête, se contentant de mettre en lumière quelques drames domestiques.

— Il faut revenir à Mitchell Grant, indiqua Higgins. Personne n'avait la moindre raison d'assassiner ce jeune homme sinon de le faire taire. Le sonneur de cloches avait vu le meurtrier de Jason Laxter ou, du moins, l'avait identifié a coup sûr. Cette chaise diabolique le terrifiait. Quand je lui ai demandé s'il l'avait vue, sa réponse fut négative. Il avait tellement peur de l'admettre qu'il préférait mentir. Quand le superintendant et moi-même l'avons rencontré pour la première fois, il nous a posé une question : qu'est-il arrivé a M. Laxter et non à *Mme* Laxter? Pourquoi? Parce qu'il savait que cette dernière se trouvait chez le forgeron, vendredi soir, et qu'il avait vu Jason Laxter descendre d'Evillodge, la chaise maudite à la main. N'est-ce pas la vérité, Geffrey?

Geffrey le Mauvais garda sa pipe vissée entre ses lèvres. "

— C'est bien possible... C'est pas mes affaires.

— C'est Geffrey le Mauvais qui a posé la plus pertinente des questions : chez qui se rendait Jason Laxter avec cet abominable objet? Pas chez le forgeron dont l'innocence est prouvée, ainsi que celle de Bettina Laxter. Pas chez les châtelains, ni chez Agatha Herald... Mais chez le pasteur Roger Wood.

. — Pourquoi cette conclusion hâtive? interrogea ce dernier, vers lequel se tournèrent Agatha Herald et Lady Emily.

— Jason Laxter portait en lui un mélange de force et de faiblesse. Dans son genre, il était un mystique. Cette chaise lui faisait peur. Il la jugeait diabolique. comme tout Druxham, et n'avait pas la moindre envie de subir son maléfice. même à distance, comme les précedents propriétaires d'Evillodge. Aussi avait-il decide d'aller vous la

porter, monsieur Wood, soit que vous la détrui-
siez, soit que vous la désenvoûtiez. Je suppose que
vous lui aviez vous-même suggéré cette idée en lui
recommandant de venir chez vous pendant une
nuit très noire, sans être remarqué de personne
afin d'échapper au diable et à ses légions. Sans
doute l'aviez-vous terrorisé à plusieurs reprises en
apparaissant sous la forme du moine de haute
taille qui court la forêt et revient errer comme une
âme damnée.

- Il est des mystères qu'il vaut mieux ne pas
expliquer, estima le pasteur. Je ne nie pas la visite
de Jason Laxter, mais je n'avais pas à lui fermer
ma porte.

- Votre crime était prémédité, affirma Higgins.
Comme le propriétaire d'Evillodge vous faisait
confiance, vous l'avez agressé par surprise et
étranglé sans difficulté. Ensuite, vous avez transporté son cadavre et la chaise jusqu'au « Juge
éternel » et vous avez maquillé votre meurtre
en suicide. Puis la chance vous a servi. Agatha
Herald et Lord Waking sont venus jusqu'ici,
samedi matin, et ils ont ajouté des indices qui
auraient pu brouiller les pistes, préférant privilé-
gier leurs intérêts personnels au détriment de la
vérité. D'une certaine manière, il y a bien eu
complot. Druxham préférait se taire, même
devant le crime.

Vous portez de bien graves accusations
contre moi, dit Roger Wood avec un calme
inquiétant.

La voix du pasteur avait changé, comme si un
autre être parlait à travers lui.

Contre vous et contre le démon qui vous
habite, poursuivit Higgins. Votre chapelle est
sinistre et délabrée et surtout... elle ne faisait plus
recette! C'est en me demandant à qui profitait le

crime que j'ai été amené a vous soupçonner. Après le premier meurtre. la chapelle était à moitié pleine. Apres le second. tout a fait remplie. Grâce aux meurtres et a la peur. vous manifestiez enfin votre fonction devant une assemblée nombreuse et recueillie : lutter contre le diable. Vous aviez simplement oublié que le diable. c'était vous. Je suis persuadé que vous auriez continué a tuer afin d'assurer la prospérite de votre lieu de culte.

Les desseins de Dieu sont impénétrables. Peu importe la manière dont il montre la voie.

Jamais Lady Emily Waking n'avait entendu le pasteur. presque halluciné. s'exprimer sur ce ton à la fois glacé et passionné. Elle se promit d'abandonner le tarot et de renoncer a l'occultisme. Quelqu'un avait envoûté l'âme du village, quelqu'un dont Higgins venait d'arracher le masque.

Vous n'êtes pas qu'un suppôt de Satan et un illuminé. monsieur Wood. continua l'ex-inspecteur-chef. Vous êtes aussi un véritable criminel, calculateur et lucide. D'aucuns croiraient que vous avez place votre bible personnelle dans la poche du mort par charité chretienne et pour lui assurer l'éternité par la présence des textes sacres Je pense que votre intention etait toute différente Vous vous innocentiez vous-même en vous accusant de maniere spectaculaire. L'indice etait trop grossier. On vous soupçonnerait. mais qui oserait vraiment croire qu'un assassin aurait commis une telle faute? Je rends hommage a l'habilete du superintendant qui. en vous arretant puis en vous relachant. vous a fait croire que le Yard etait tombe dans le piege que vous aviez tendu.

La Bible a tout de même purifié cet être mauvais...

Bettina Laxter se blottit dans les bras du forgeron qui, l'épreuve passée, s'était fait de nouveau protecteur. Les nerfs de la jeune femme craquaient.

Vous avez commis une petite erreur qui vous a trahi, analysa Higgins en consultant ses notes. Une erreur que seul un individu connaissant parfaitement la Bible et lui vouant une croyance sans bornes pouvait commettre. Dans votre exemplaire personnel, retrouvé sur le corps de Jason Laxter, il y avait une page légèrement cornée. Le texte disait : « *Sans pitié, le Seigneur a détruit toutes les demeures de l'injuste, il a jeté à terre, il a maudit le royaume et les puissants.* » Vous avez commenté, dans le sermon consacré à la victime, un autre texte proclamant : « *Le Seigneur a brisé toute corne dans le feu de sa colère. Il a allumé un incendie dévorant. Célébrons ensemble Son nom, qu'Il nous fasse passer de la mort à la vie.* » Enfin, dans votre sermon prononcé dans une chapelle pleine, après l'assassinat du sonneur de cloches, vous avez choisi comme texte : « *Le Seigneur a été comme un ennemi, il a détruit Israël, détruit tous ses palais abattu ses forteresses, multiplié gémissements et gémissements* ». Outre leur caractère funèbre, ces passages mettent en évidence votre goût morbide pour la destruction. Surtout, ils se suivent et appartiennent au *Second Livre des Lamentations* comme j'ai pu le vérifier en consultant la Bible dans la chapelle même. Je suppose que le prochain meurtre aurait été commis avec la suite du même texte...

- Personne ne doit être privé du secours de la religion, estima Roger Wood.

- Pourquoi tant de haine? s'écria Bettina Laxter, indignée. Pourquoi avez-vous tué mon mari?

- Il n'avait pas la foi, répondit le pasteur. Il

croyait au progrès. Demain, il aurait démoli la chapelle. C'était lui, le suppôt de Satan. J'avais le devoir de le supprimer. Pas seulement pour moi, mais pour sauver Druxham. Le village me comprendra. Il fera de moi un saint.

Agatha Herald quitta sa place et alla se réfugier auprès du superintendant Marlow. Lady Emily se leva et entraîna le vieux Lord vers le groupe formé du forgeron, de Bettina Laxter et de Geffrey le Mauvais. Sans se l'avouer, chacun avait peur. Scott Marlow, lui-même, n'était pas mécontent de savoir la clairière encerclée par de nombreux policiers armés.

— Vous avez souligné, en effet, rappela Higgins, que Laxter avait eu la bonne idée d'aller mourir ailleurs que sur le territoire de la commune de Druxham. C'est pourquoi vous avez apporté son cadavre ici, en un lieu connu depuis votre enfance. Pourquoi cette pendaison, sinon parce que vous connaissiez la mission confiée par Lady Emily a son mari? Elle vous avait parlé de sa prédiction par les tarots, n'est-ce pas?

— Ce qui doit s'accomplir s'accomplit, jugea Roger Wood.

— Lady Emily s'est bien gardée de me révéler cette conversation, de même que Lord Graham a oublié de me confier que le pasteur, samedi matin, lui avait recommandé de prolonger sa promenade jusqu'au « Juge éternel ». L'alliance de la chapelle et du château. La tranquillité du village avant la vérite.

Les vieux aristocrates n'osèrent répliquer. Higgins considéra le pasteur sans indulgence.

— Le petit Mitchell Grant était à votre service depuis longtemps, vous l'aviez élevé... Pourtant, vous n'avez pas hesité à le supprimer, lui aussi. Il avait vu Jason Laxter entrer chez vous avec la chaise.

- Trop de curiosité est un péché! S'il avait su garder sa langue pour la gloire du Seigneur et le bien-être de Druxham, il aurait continué à vivre dans la paix de ses cloches.

Quand vous ponciez les pierres du mur du fond de la chapelle, indiqua Higgins, vous dissimuliez sans doute un passage entre la chapelle et le clocher. A moins que la porte murée ne le fût qu'en apparence. Quoi qu'il en soit, vous n'avez eu aucune peine à pénétrer dans le domaine de Mitchell Grant et à l'étrangler avec l'une des cordes servant à sonner les cloches. Cette même corde dont vous aviez coupé une partie pour pendre le cadavre de Jason Laxter.

Peu importait ce garnement, asséna le pasteur, glacial. Vous vous êtes trompé sur toute la ligne, Inspecteur. Je n'ai été que l'instrument du Seigneur. Ce n'est pas moi qui ai tué Jason Laxter.

Le superintendant Marlow eut un coup de sang. Quel atout détenait encore ce personnage monstrueux?

– C'est la chaise maléfique qui a anéanti ce Laxter, révéla Roger Wood. Je l'ai obligé à s'y asseoir. Le diable retournait au diable. Je ne l'ai étranglé que par précaution. Vous pouvez m'enfermer dans une geôle, si cela vous amuse. D'autres continueront a lutter contre le progrès et le mal...

Lord Graham Waking tint à recevoir Higgins au château avant qu'il ne quittât Druxham. Il lui assura que la chapelle resterait fermée et il lu'

offrit un tableau représentant le village au temps de sa splendeur. L'ex-inspecteur-chef refusa fermement. Sur le seuil de la bâtisse delabrée, Higgins se retourna vers le châtelain.

– La prochaine fois que vous effectuerez une filature sur la personne d'un inspecteur du Yard, Lord Graham, soyez plus discret. Et la prochaine fois que vous tirerez sur lui, soyez plus précis. Sinon, abstenez-vous.

Laissant le vieux Lord statufié, Higgins quitta sans regret le village où un illumine et un garçon trop curieux avaient vu leur destin se briser.

CHAPITRE XXI

Scott Marlow étouffait dans son smoking. La remise de décorations était sur le point de commencer. Les hautes autorités de Scotland Yard avaient loué deux grandes salles dans un hôtel particulier de Mayfair pour donner à la cérémonie un maximum d'éclat. Le Très Honorable Lord Maire, assisté de son chambellan et de quelques échevins, avait accepté de l'honorer de sa présence. Au grand dam du superintendant, la reine d'Angleterre, retenue par une autre obligation, s'était fait représenter.

Courant en tous sens, Scott Marlow s'assurait à nouveau que rien ne manquait. Il avait choisi un excellent traiteur, rencontré chacun des serveurs et leur avait fait la leçon. En cette froide soirée d'automne, cette grande fête de la plus célèbre police du monde devait être une absolue réussite dont la BBC et les journaux rendraient les meilleurs échos. Aux murs, deux tableaux de George Frederic Watts représentant le triomphe de la vertu sur le vice étaient en parfaite harmonie avec les émouvants instants que les meilleurs policiers du Yard allaient vivre. Marlow jugeait quelque peu déplacée une toile de Paul Nash évoquant les atrocités de la Premiere Guerre Mondiale, mais il n'avait pas eu le temps de la faire remplacer.

Repérant un maître d'hôtel chargé de vérifier les invitations. Marlow l'interpella.

Avez-vous vu passer l'ex-inspecteur-chef Higgins?

~ Pas encore. Le Tres Honorable Lord Maire et le Commissionner Chief Constable sont arrivés.

Autrement dit, la cerémonie de remise des decorations devait impérativement commencer dans moins de dix minutes. Marlow avait promis au grand patron du Yard que Higgins, dérogeant à son execrable code de conduite privé, quitterait son cottage pour venir à Londres et s'y faire décorer.

Comment osait-il lui jouer un aussi mauvais tour? Pourtant. Scott Marlow l'avait bien aidé en découvrant le premier l'assassin dans l'affaire de Druxham. Et Higgins lui avait donne sa parole... S'il avait écouté le superintendant, au demeurant, il aurait avantageusement écourté son séjour à la campagne.

Certes. Higgins avait éclairci quelques aspects secondaires, mais...

Scott Marlow interrompit le cours de ses pensées.

Higgins, portant beau dans un smoking grenat, venait enfin d'apparaître. Scott Marlow se précipita vers lui.

~ Higgins! Vous avez vu l'heure? Où étiez-vous passé?

L'ex-inspecteur-chef ne portait jamais de montre. Et, aujourd'hui, un oignon aurait brisé la ligne de son smoking.

~ J'ai profité de mon séjour dans la capitale

pour régler quelques petites choses. Serais-je en retard?

Dépêchons-nous. Vous êtes en tête de liste. Nous devons être au premier rang pour écouter le discours du Commissionner Chief Constable.

Au grand étonnement de Scott Marlow, ni le Lord Maire, ni le grand patron du Yard n'avaient encore pris place sur l'estrade qui leur était reservée. Une certaine agitation régnait parmi les invités, comme si un événement dramatique venait de se produire.

Pendant que Higgins, très détendu, serrait les mains d'anciens collègues, heureux de le retrouver, le superintendant partit aux nouvelles.

Quand il revint, son visage etait d'une pâleur presque mortelle.

- Vous devriez vous allonger, superintendant, recommanda Higgins. Un grave ennui?

C'est épouvantable... Une calamité... Ma carrière est brisée...

- Que se passe-t-il donc?

- Les décorations ont disparu.

- Fâcheux contretemps, en effet... Il reste le cocktail. On finira bien par les retrouver. Le destin m'est décidément contraire : je ne serai jamais décoré. Puisque la cérémonie est annulée, vous m'excuserez de ne pas rester plus longtemps J'ai un train à prendre. Passez une bonne soirée mon cher Marlow.

Higgins s'éloigna, de sa démarche de chat, rapide et silencieuse.

Soudain, une idée traversa l'esprit du superintendant. Et si Higgins... Non, c'était impossible... Aurait-il osé aller jusque-là... « Quelques petites choses à régler », avait-il dit... Et les décorations qui avaient disparu...

Marlow se rua vers la sortie de l'hôtel particu:

lier. Il regarda à droite et à gauche. Trop tard. La silhouette de l'ex-inspecteur-chef s'etait effacée dans la nuit pluvieuse du Londres automnal.

Le meilleur limier du Yard avait regagné sa retraite solitaire, loin de l'agitation d'un monde peuplé de crimes et de décorations.

DANS LA MÊME COLLECTION (suite)

Vous pouvez trouver tous ces titres en librairie.
Mais vous pouvez aussi vous en procurer par correspondance
en remplissant le bon ci-dessous :

- -

Je souhaite recevoir :
❑ Les volumes cochés au prix de 32 F l'unité, soit :
                        .... livres à 32 F = ...
+ Frais de port (*1 à 3 vol. : 15 F ; 4 vol. et plus : 20 F*) = ...
                                     Total : .....

Nom : .... Prénom : ....

Adresse : ....

Code postal : .... Ville : ....

Paiement par chèque ou mandat à :
Editions Gérard de Villiers
43, quai de Grenelle, 75905 Paris Cedex 15

Composé par EURONUMÉRIQUE 92120 Montrouge
et achevé d'imprimer en février 2000
sur les presses de l'Imprimerie Bussière
à Saint-Amand-Montrond (Cher)

— N° d'imprimeur : 323 —
— N° d'éditeur : DSY 1 —
Dépôt légal : février 2000

Imprimé en France